★影响世界的人★

贝尔

★ 林淑玟 著　陈维霖 绘

译林出版社

图书在版编目(CIP)数据

贝尔 / 林淑玟著. —南京：译林出版社，2013.10
（影响世界的人）
ISBN 978-7-5447-4267-2

Ⅰ. ①贝… Ⅱ. ①林… Ⅲ. ①贝尔，A. G.（1847~1922）-传记-少儿读物 Ⅳ. ①K837.126.16-49

中国版本图书馆CIP数据核字（2013）第192835号

本书中文简体字版由联经出版事业公司授权出版，原著作名《影响世界的人：贝尔》。
著作权合同登记号 图字：10-2013-38号

书　　名	贝　尔
作　　者	林淑玟
责任编辑	王　蕾
原文出版	联经出版事业公司
出版发行	凤凰出版传媒股份有限公司 译林出版社
出版社地址	南京市湖南路1号A楼，邮编：210009
电子邮箱	yilin@yilin.com
出版社网址	http://www.yilin.com
经　　销	凤凰出版传媒股份有限公司
印　　刷	江苏凤凰盐城印刷有限公司
开　　本	889毫米×635毫米 1/16
印　　张	10.75
插　　页	4
字　　数	94千
版　　次	2013年10月第1版 2013年10月第1次印刷
书　　号	ISBN 978-7-5447-4267-2
定　　价	25.00元

译林版图书若有印装错误可向出版社调换
（电话：025-83658316）

导读

台湾大学电信工程学研究所
教授　廖婉君

电话，可以说是影响现今人类生活最重要的发明之一。无论咫尺天涯，只要通过电话，便可以及时交谈，随时掌握对方的讯息。虽然电话的发明是累积多位先驱者的贡献而成，但是让此发明成真，成功走入每个人的生活中，大发明家亚历山大·格雷汉姆·贝尔实在功不可没。

贝尔出身于工业革命时期苏格兰爱丁堡的一个语音学世家，这是一个人人皆对梦想充满希望的年代。他毕业于爱丁堡大学及伦敦大学，二十三岁时和父母亲移民到加拿大，一年后再移民到美国。受到父亲的影响，贝尔一直投入聋人语音教育工作。他对电报的原理和操作也深感兴趣，并尝试将他听障教育工作的语音学专业运用到电报上去，因此对于声音和电的关系也愈来愈了解。他甚至还试着利用电流振动来产生不同的音调，研发多路电报，克服从前一条电报线一次只能传递一则电报讯息的问题。在他新婚之夜，贝尔忽然想到可以直接通过电线传输来传递声音的讯号，后来进而发现以“电”通“话”的可行性。从此贝尔与其研究伙伴托马斯·华生受到举世瞩目，开创了划时代的电话传输新纪元，并挂牌成立贝尔电话公司，数年后，再成立子公司——美国电话电报公司(AT&T)。

同一时期，以利沙·格雷亦独立发明出类似于贝尔的电话机。格雷与贝尔均急忙将其发明送至专利局，但贝尔早两小时送达，而此时，两人都尚未完成电话的原型机。贝尔在三个星期后完成第一部电话机，但造型笨重，话质很差；而格雷则将其专利发明权转卖给当时美国最大的西部联合电报公司。后来爱迪生发明话质优良的碳粉送话器，取得专利权后，不知何故，也卖给西部联合电报公司，由此引发西部联合电报公司与贝尔电话公司长达十多年的电话发明权侵权诉讼。后来双方达成协议，贝尔电话公司将取得全美国的电话经营权，但同意未来十七年内，需将其收入的20%分享给西部联合电报公司；西部联合电报公司则独占全美国的电报市场。但是，西部联合电报公司做梦也没想到，当时看似不成气候、评价两极的电话服务，竟在短短数年内，以燎原之势迅速崛起，而贝尔电话公司更进一步取代西部联合电报公司的地位，成为电信领域的新巨人。后来贝尔电话公司虽然因为美国电话电报公司并入衍生出一连串的事件，被竞争对手控告不当限制电信市场竞争，因反托拉斯法的商业诉讼被解体，并被限制只能保留贝尔实验室及从事长途电信与设备制造

的业务；但不可否认，直到今日，AT&T仍是全美国最大的有线电话营运商，而贝尔实验室则是全球电信领域最具权威的研究单位，在2000年电信业泡沫化以前，一直是电信领域研究人员最向往的工作单位，很多电信相关的重要发明均出自该实验室。

贝尔对发明的热情有目共睹，发明对他来说，就像呼吸一样。除了电话机外，他还发明了改良留声机、光影电话、金属探测器、箱型载人风筝及水翼船等。他的研究态度与精神，喜欢学习、观察、思考、动手做与永不放弃的实践家态度，正是未来年轻一代的学习典范。虽然美国国会在2002年将电话发明人的桂冠判给意大利的发明家安东尼奥·梅乌奇，但称呼贝尔一声“世界电话之父”，其实也不为过。毕竟，电话服务除了电话机之外，仍需依赖复杂的交换机技术、服务质量保证以及后端整体维运才能顺利达成。没有当初的贝尔及贝尔电话公司，也许今日电信或手机蓬勃发展的繁荣景象，还要向后推延很多年才会出现。

贝尔是个成功的典范，他很努力，不怕失败，愈挫愈勇，这些是所有成功者共同的特征。此外，他很懂得保护自己的智慧财产权，为自己所有的发明申请专利；他也很懂得如何营销自己的发明，因此为自己带来相当可观的财富。最重要的是，他十分关心弱势群体及听障者，穷其一生，为听障人士争取福利，因此，他的心灵是平安喜乐的，正如他自己所说：电话的发明虽然为自己带来名誉与财富，但为听障教育贡献心力，却带来更多快乐。从贝尔身上，你学到了什么呢？

目录 CONTENTS

前言

记得小时候，我们都写过"我的志愿"这样的作文题目。

那个时代，许多人课外读物没读过几本，对伟人的认识都是从课本里得到的，但同学之中确实有人"希望长大以后，成为对人类有贡献的发明家"。因为志向这么伟大，他还得到老师的称赞呢！

可是，到底"发明家"应该有什么样的精神，又该具备哪些条件，我们的小脑袋瓜里，却是一点儿概念也没有。

此次为了撰述"贝尔"，我才发现，要当个发明家可真不容易。

首先，要把吃苦当吃补。

第二，几天几夜不睡觉，用牙签撑住眼皮，也要完成实验。

第三，发明成功后，要东奔西跑去推销自己的产品。

第四，要不怕失败，越挫越勇。

第五，一再重复单调的实验，也不会嫌烦。而且即使被腐蚀性很强的酸液喷到，也不能只会惨叫！（当时若不是贝尔还能镇定地呼叫华生，恐怕电话要多年以后才能被发明出来。）

贝尔除了具备这些条件外，还热心推动“听障教育”，一生为“听障人士”争取福利。

所以，各位读者在读完本书后，若认为自己符合上述的条件，恭喜你，有机会成为一个发明家喔！

第一章 扬帆远行

船头破浪前进,海风吹乱头发,二十三岁的贝尔上半身探出船头的栏杆,兴奋得呼吸急促,忍不住在风中大声欢呼起来。

这不是贝尔第一次坐船,可却是他第一次搭乘远洋邮轮。

横渡北大西洋的远洋邮轮呢!因为贝尔全家要离开英国,搬到加拿大,展开新生活喽!

虽然,离开熟悉的伦敦和爱丁堡让他依依不舍,但对美洲新大陆的好奇,远远胜过对故乡的依恋。

何况,因为贝尔的新生活,世界的通讯史也会展开新的一页呢!

第一节 远洋邮轮上的探险

不要老走自己熟悉的路,有时不妨换条路走,冒个险。

——贝尔名言录

打从第一天踏上邮轮开始，贝尔就掩不住兴奋之情，在船上四处探险。

比起河流中行驶的小汽船，邮轮可以说大上好几百倍，船舱里一排又一排的舱房，房门因为小孩进出奔跑，整天都传来乒乓声；甲板上宽阔的走廊，不时可以看到穿着燕尾服的男士挽着穿长裙、撑小洋伞的女士散步的身影。至于餐厅，更是令人瞠目结舌：几十人同时用餐，侍者端着食物在排列整齐的桌椅间来回穿梭，空气中弥漫着诱人的食物香味。

这一切虽然新鲜，但很快就失去了吸引力，贴着“机房重地，游客止步”的轮机房才是贝尔最想一探究竟的地方。

许多次，贝尔探头探脑、四处张望，确定没有人后，用手掌护在两只眼睛外侧，不让阳光影响视线，从椭圆形的舷窗往里望。但是里面除了传来沉闷的咚咚声外，黑漆漆的，什么也看不到。

贝尔坐在甲板的木椅上，头发因强烈的海风而乱成一团，但他完全没有感觉，只是专心一意地想象：轮机房里有数不清的轰隆轰隆作响、不停转动的大小齿轮，不时噗嗤噗嗤冒出白色蒸汽的锅炉；还有十几个大块头的水手，裸着上身，手臂和肩膀的肌肉因为用力而纠结隆起。他们一铲一铲奋力地往火炉里添加煤块。发出烈焰的煤炭煮开锅炉里的水，产生蒸汽。机器和人都在雾气中忽隐忽现，让轮机房充满诡异、迷人的气氛。

只是，半个月的航程就快结束了，贝尔还是只能在门外徘徊，真

是教人心急啊!

为了能够进轮机房参观,他每天都在靠近轮机房门口的甲板上闲逛,希望有机会结交几位水手朋友,一圆轮机房探险之梦。

这一天,希望之神眷顾了贝尔。

贝尔逛甲板时发现鞋带松了,蹲下来重新打蝴蝶结。但是他没注意,他正好蹲在机房门打开来会撞到的半径内,而偏偏那时正好有人从里面推开门……

砰!贝尔应声倒在甲板上,痛得龇牙咧嘴、弓起身子、双手抱头。

"有没有受伤?"那人非常慌张,冲过来扶起贝尔。

贝尔摸摸被铁门撞到的头部,疼得用嘴巴吸气。"还好……还好……只是撞到头,不是撞到鼻子!"他不敢想象鼻子被撞到的惨状。

"我从舷窗往外看,没看到人,才推开门。"那人一边解释,一边摸着贝尔头上肿起的大包,声音里隐含着责备,"你蹲在地上做什么!"

贝尔又好气又好笑,他再怎么喜欢轮机房,也不想用这种方法去博取同情。

听完贝尔的解释,那人不住地赔不是,扶着贝尔往医护室走去。眼尖的贝尔注意到那人胸前挂着的职称牌。顿时,他忘了头上的疼痛,抓紧那人的手臂:"你是轮机长!"

"是,我是轮机长乔治。"

乔治三十多岁，肩膀宽阔，肌肉结实，一头金发被海风和日晒漂染成淡金色，长年的海上生活在他的眉头、眼角刻画出许多皱纹，让乔治看起来比实际的年龄大上许多。然而，他丰富的航海经验满足了贝尔对船上事物的好奇心。

接下来的几天，乔治不当班时，贝尔都和他在一起逛甲板聊天，两人很快成了好朋友。

这一天，贝尔实在按捺不住了："乔治，可以带我参观'轮机房'吗？"

没想到，乔治断然地摇头："船公司规定不可以！"

"连好朋友也不行？"

"不行！"乔治的眉头纠结在一起，轻轻地叹了一口气："轮机房又闷又热，连我们的员工都不喜欢在里面，为什么你想参观？"

贝尔不得不说出自己的好奇及对"轮机房"的想象。

"根据船公司的规定，旅客不能进入轮机房，以免发生危险。因为轮机房里有许多巨大的机器，不熟悉的人不仅可能伤害自己，还会让机器停摆，造成邮轮无法前进。"乔治直视贝尔，"如果因为我们是好朋友，因而破坏规矩，船公司会要我卷铺盖走路，而且任何一家船公司都不会再雇用我。"

贝尔没想到规矩这么严格，同时也才发现，他丢了一个烫手山芋给乔治，正要道歉，乔治又开口了："虽然我无法带你进轮机房，但我可以画个简图让你了解。”

“那真是太好了!”

乔治在布满水汽的甲板上,用手指画出轮机房里机器的位置与模样,一边解释:“锅炉工将煤炭铲入火炉,加热锅炉中的水,产生的蒸汽力量很大,足以推动活塞,活塞再带动齿轮及其他复杂的机器,因而可以推动轮船前进。但是,你知道是谁发明了蒸汽机吗?”

“是我们苏格兰的詹姆斯·瓦特[1]先生。”同为苏格兰人,贝尔觉得与有荣焉,“而且因为瓦特先生发明了蒸汽机,才有工业革命呢!”

乔治继续追问:“你认为,就是瓦特先生发明的蒸汽机推动轮船的吗?”

“应该是吧?”贝尔不确定。

乔治招呼贝尔一起靠在船舷栏杆上。

“没错,是瓦特先生发明了冷凝器蒸汽机。但当时这款蒸汽机还无法直接运用到交通运输上。直到1822年,史蒂文森铺设铁轨,改良蒸汽火车头,拉动带有车厢的火车,才让他赢得‘蒸汽机车之父’的美誉,我们也才有机会搭乘火车做长距离的旅行。然而,蒸汽引擎运用到航运就更晚了。”

贝尔没想到,乔治还是说故事高手,他听得入迷了。

“身为轮机长,不能不知道航运发展的历史。”乔治挺挺胸膛,露

---

1 詹姆斯·瓦特(1736—1819)于1769年发明蒸汽机,起初用于矿坑汲水,帮助矿工在矿坑大量采煤。1782年又发明回转机,使蒸汽机应用到更广泛的领域。

出以此职业为傲的神情，"将蒸汽引擎运用到航运的重要人物是罗伯特·富尔顿[1]。因为他改良蒸汽引擎，所设计的第一艘汽船'克莱蒙特'号，在美国哈德逊河，从纽约逆水上溯到阿尔班尼，只用了32个小时，是一般帆船平均所需时间的三分之一，顺流而下也才只花了30小时。他的成功试航造成轰动，直接促进内河与远洋航运。"

说到这里，乔治停下来，手往外一挥："贝尔，现在你仔细看船的外壳，告诉我，你看到了什么？"

贝尔把头探出船舷，前看后望，除了不断袭来的海风和滚滚的波浪，什么也没有。

"看到明轮[2]了吗？"乔治提醒他。

"明轮？会不会在轮船的另一侧？我到另一边去看。"贝尔拔腿飞奔过去。十分钟后才绕回来，跑得气喘吁吁。"前、后、左、右，我全仔细看过了。没有，没有明轮！"

乔治笑眯眯地望向他："除了蒸汽机，没有明轮，船是怎么前进的？"

对啊！贝尔见过一些在内河航行的船，除了用手划桨外，载送较

---

1 罗伯特·富尔顿（1765—1815），美国人，原为人像画家，后投入研究发明的领域，被誉为"轮船之父"。1807年8月，他设计制造了"克莱蒙特"号明轮船，船长45米，宽4米，船上还有双桅风帆。他的成功航行造成巨大轰动，也引来无数的效仿者。五年后，美国和欧洲的内陆河流中有50艘汽船投入运行。

2 明轮船是一种在船的两侧装着明轮的蒸汽轮船，靠蒸汽机产生的动力带动明轮转动而产生推进力。

多货物及客人的汽船两侧都挂有大大的明轮，在河中噗噗噗地打水航行。这艘船没有加挂明轮，蒸汽机推动的是什么？

贝尔瞪大眼睛回望乔治。

乔治还是笑眯眯的。

他的模样让贝尔更想知道答案，忍不住叫嚷起来："哎呀！乔治，你就别卖关子了，快告诉我吧！"

乔治呵呵大笑起来："蒸汽机推动的是螺旋桨啊[1]！"

几年前，贝尔才在报纸上读到蒸汽明轮船的消息，而他也以为，此次全家迁往加拿大，搭的就是明轮船，没想到已经是用螺旋桨作为推进器的轮船[2]了。

"螺旋桨装在船尾的水面下，无法从船上看到，但是你可以看到它转动时翻搅起的波浪。"乔治一边补充，一边领着贝尔走到船尾，指给贝尔看，"就因为螺旋桨推进的速度快上许多，所以，我们才能只花约十五天的时间，横渡大西洋，从伦敦航行到加拿大。要知道，比

1 螺旋桨推进器的趣事：螺旋桨发明后，为了证实螺旋桨比明轮性能优越，1845 年的一天，在英国东岸，有两艘轮船举行拔河比赛。一艘是螺旋桨式的蒸汽轮船"拉特勒"号，另一艘"阿莱克特"号则以明轮推动。两艘船的排水量都是 800 吨，而且都以 200 马力的蒸汽机为动力来源。比赛时，两艘船的船尾对着船尾，用一根粗钢缆将两船连在一起，两船各自开足马力，朝相反方向开去。结果，"拉特勒"号以 2.8 节的速度拉着"阿莱克特"号往前走。这场比赛证明：螺旋桨推进器胜利！

2 轮船名称的由来：1860 年代后期，以螺旋桨为推进器的轮船已经取代明轮蒸汽船，但"轮船"这个名字却一直沿用至今。

起从前，这至少缩短了半个月的时间呢！”

打从上船后，贝尔就常常站在船舷，着迷地看着迤逦在船尾的泡沫波浪，现在才知道那是螺旋桨打出来的。他惊讶得再度睁大眼睛，说不出一句话。

在这一段航程中，虽然贝尔无法如愿地去轮机房探险，但乔治的说明让贝尔对科学发明带给人类的便利有了进一步的认识。

第二节　回忆爱丁堡

不要疏于观察身边日常的琐事，只要肯用心，总会有意想不到的收获！

——贝尔名言录

在远洋邮轮上，不探险的时候，贝尔最喜欢做的事情，就是陪父母亲坐在甲板的木椅上聊天、看海上落日。

说起父亲，亚历山大·梅尔威勒·贝尔[1]，是贝尔最敬佩的人。

父亲继承爷爷的演说天分，而且发挥得更淋漓尽致，在许多大学指导过上万个学生成为演说高手。他的著作《雄辩术》一书，光在美国就销售了25万本。

1 亚历山大·梅尔威勒·贝尔（1819—1905），苏格兰裔教育家，首先提倡使用“可见式语音”作为聋哑教育的课程，1897年成为美国公民。

父亲在许多演讲场合，带着贝尔充当助手，现场教导人们如何利用声带、舌头、牙齿、口形和呼吸发出正确的语音。他在台上迷人的风采，每次都让贝尔看得目不转睛。

母亲则是贝尔最亲爱的人。

贝尔十岁以前，和哥哥詹姆斯、弟弟查尔斯，都是由母亲在家教育，学习基本能力。由于母亲的身教，贝尔在耳濡目染中，从小就对艺术、诗歌、音乐展现过人的天分。尤其是弹钢琴这件事，从没受过特别训练的贝尔，只要听过一两遍，就能将曲目诠释得恰到好处，而自己仿佛也融入旋律中，每每让家人或客人报以热烈的掌声。

只可惜，母亲素有重听的毛病，而且随着年岁的增长越来越严重，终于在贝尔十二岁时完全失去听力。这对贝尔是个很大的打击，他弹奏的美妙琴音，母亲再也无缘聆赏了。

不过，看似文静的贝尔，却喜欢新奇的事物，更喜欢动脑筋找方法解决生活中的难题。所以对于母亲的听觉障碍，他很快就找到了解决的办法——靠近母亲的额头说话，通过气息的强弱变化和正确的唇型，不必靠手语，就能让母亲了解他想传达的意思。这个方法也让母亲在公众场合不必因为比画手语而招来异样的眼光。从此以后，只要是父亲无法陪伴的时候，总是贝尔陪妈妈出席公共场合。他一定紧靠着母亲坐，充当母亲最佳的翻译者。

也因为母亲的失聪，贝尔发现，听障人士在肯定自我、融入社会时，会产生许多困扰，因而，他决定致力于听障教育。

却说，轮机长乔治对螺旋桨的说明，让贝尔比哥伦布发现新大陆还高兴，他连跑带跳地冲上父母亲常去的甲板，打算分享他刚学习的新知识。

然而，当他靠近时却发现，父亲没陪在母亲身旁，只有她独自一人，倚着栏杆看着即将沉入海中的夕阳。母亲的脸映着晚霞的红光，带着一股无法形容的哀伤，让贝尔急奔的脚步不禁放慢下来。

靠近母亲时，贝尔故意用力踏步，他知道母亲会从甲板轻微的震动中，知道有人靠近她。当母亲转头看到是贝尔时，脸上的哀伤消失不见了，换上了贝尔熟悉的亲切笑容，可是贝尔还是看得见隐藏在眼底的哀伤。所以他靠过去，搂住母亲的肩膀，在她的额头上吻一下，用气息和唇语问：

“妈，你在想什么？爸爸为什么没陪在你的身边？”

母亲的嘴角再次扬起微笑：“我忘了带披肩。你父亲回舱房去拿了。”

贝尔扶着母亲坐上休闲木椅，自己蹲坐在她旁边：“今天的夕阳好美！”

母亲飞快地再看一眼夕阳，轻轻地摇一下头：“是不错，但比不上我们在爱丁堡看到的……”

贝尔恍然大悟，原来母亲眼底的那抹哀伤，是对故乡爱丁堡的思念。

爱丁堡南夏洛帝街 17 号[1]，是母亲建立家庭、贝尔从小生长的地方，那里留存着许多美好的回忆，加上爱丁堡周遭的美丽景致，贝尔就算闭上眼睛，也能在脑中描绘出来。

就以触目可及的森林和城堡来说吧！塔屋型的古堡不时地从树顶上冒出来，它们相偎相依地矗立着，一起走过几百个年头；深冬时节，古堡的屋顶和树枝上覆盖着厚厚的白雪，仿佛洒满糖霜、令人食指大动的姜饼屋。

而表面安静、暗无天日的森林，里面其实充满生机。错综复杂的小路，是贝尔和同伴时常探险的地方。当他们按捺着害怕的感觉，假想森林精灵躲在暗处窥视时，野生红鹿和咯咯乱叫的野生雉鸡突然从路边蹿出，吓得双方因此惊慌失措，四处奔逃，直到跑出森林，再次沐浴在耀眼的阳光中，才为刚刚的胆小笑得满地打滚。

至于夏天，森林外缘的池塘是欣赏美丽野鸭和天鹅的最佳地点。它们姿态优美地悠游其中，常让母亲和贝尔看得忘了时间，直到黑夜来临，才依依不舍地踏上回家的路。

美好的回忆会让人沉溺其中，但也会拉出许多不愉快的经验。

贝尔不希望母亲深陷其中。他故意用快乐的语气，握住母亲的手说："妈！你的想法跟我一样！有几次，我爬上高地，看到了世界上最美的夕阳；带着血红的金黄，薄薄的云层簇拥着它，而且大得

---

1 爱丁堡南夏洛帝街 17 号：贝尔的故居，英国政府在门前的石阶旁立着纪念标志，提醒当地人和观光客缅怀贝尔对世界的贡献。

吓人!”

母亲一定是被他的热情感染了,原来冰冷的手慢慢转热,眼里出现高兴的光彩:“嗯,那样的夕阳我也看过几次!我最爱在秋天时节去,整个苏格兰高地开满了紫红色的石楠花,衬着血红的夕阳,好像整个山头都着火了。”

“妈,到高地除了去看夕阳,我还喜欢去看可爱的高地牛。”

“高地牛!”妈妈笑开来,从贝尔的手掌中抽回自己的手,在脸上比画着,模仿毛长得把眼睛都遮住的高地牛。

没错!身材壮硕、鼻孔朝天、大弯尖角、一身长毛,乍看似凶猛,接触后才发现它们眼睛温柔、模样可爱,个性更是容易亲近。高地牛,是苏格兰人美好回忆中的一部分。

此刻,妈妈生动的表情加上灵活的手势,让贝尔好像亲眼目睹一样。

“还有黑头羊!”妈妈又发出惊呼。

这会儿,连贝尔都忍不住在母亲的椅子旁,学起黑头羊咩咩叫的傻样子。

说起羊群,当然要说说管理羊群的牧童。贝尔和哥哥、弟弟几乎认识所有的牧童。贝尔向母亲仔细形容那些牧童的长相与装扮,以及男孩子在爱丁堡的田野玩的游戏:夏天他们利用纵横在田野间的石砌矮墙玩跳高,捉迷藏,拿木剑打来杀去,假装自己是英勇的苏格兰战士,对抗凶狠的维京海盗;冬天则相互打雪仗、堆胖嘟嘟的雪人，直到手指冻僵。

贝尔还记得那些被霜雪冻红鼻头和脸颊的牧童，一遇到贝尔的父亲，语音学权威——贝尔教授，脸就更红了，好像熟透的红苹果，嗫嗫嚅嚅，说不出一句话来。可是只要他们到了野外，便个个把羊群丢到一旁，撒起野来，玩疯了。

贝尔曾经担心地问："你们不必照顾羊群吗？要是走丢了怎么办？"

穿着粗布工作服的他们，甩着手把玩着弯成问号形状的牧羊杖，不在乎地回答："只要有牧羊犬和我的口哨声，用不着担心！"

果真，牧羊杖、高低长短不同的口哨声，加上手势与吆喝，配上一条训练有素的牧羊犬，立刻就能把四散在草原上的羊群聚拢在一起，服服帖帖地排队，有次序地走入羊圈。

每次贝尔看着那些傻乎乎的黑头羊，被聪明机灵的牧羊犬驱赶，假装要咬它们的脚后跟，因而慌张失措地挤成一团，只好依顺序走过独木桥、靠紧石墙，还愣头愣脑地再啃两口地上的青草，就忍不住笑得肚子发疼。

有一次，他实在忍不住了，问牧童："到底是羊太笨，还是狗太聪明？"

牧童玩伴瞪着挤来挤去、咩咩叫的黑头羊，又看看那只神气吠叫的牧羊犬，耸耸肩膀："我不知道！但是没训练完成的小牧羊犬也会被羊欺负。"

虽然牧童没给他正确的答案，却引发了他一个妙点子。

“妙点子？什么妙点子？”不知道什么时候回到甲板上的父亲问道。

“那个训练狗说话的妙点子啊！”

父亲和母亲一听，立刻哈哈大笑起来。

贝尔从小对于“语音”的敏感度就比哥哥和弟弟强，现在又看到会听复杂命令的牧羊犬，忍不住好奇地想：“狗听得懂人的语言，人却听不懂狗吠叫代表的意思。而狗会吠叫，表示它有声带，如果我学父亲教人的方式，也控制狗的声带，它是不是因此可以被训练说出‘人的语言’，让我们听得懂呢？”

于是，他和哥哥、弟弟抓来家里的小黄狗，展开训练课程。

首先，贝尔用一只手按住它喉咙声带的部位，另一只手则环抱它的肚子，用力挤压，强迫它发出声音。

小黄狗原以为小主人要赏它食物吃，没想到竟是在它颈部和身上又压又挤，弄得很不舒服。几次之后，只要看到小主人走过来，它就立刻吓得夹紧尾巴，躲到桌子下，发出哀嚎。

既然已经开始实验，还没有结果，贝尔怎么肯放弃。兄弟三人在屋子里，又跑又追，又哄又骗，捉住小黄狗，强迫它练习。虽然很辛苦，但经过一段时日的训练，小黄狗竟然可以发出类似“奶奶，早！”的声音。

这个训练成果让兄弟三人非常得意，常常要小黄狗表演给客人或邻居看。大部分看过的人都用力拍手、哈哈大笑,只当成生活中小小的娱乐,并没有特别的想法。

听到这里,父亲弹弹手指:"艾力克[1],你知道,这件事后面还有故事吗?"

"后面还有故事?"贝尔满脸讶异,但他同时注意到母亲只是微笑,没他那么惊讶,这代表母亲早就知道这件事情喽!

父亲开始解释:"我和你爷爷,仔细地观察你如何让狗发出声音后,两人做了讨论。我认为三个小孩中,就属你鬼点子最多。我相信,这一切都是你主导的。"

贝尔立刻笑着点头同意。

"我记得,你爷爷坐在大沙发上,嘴里叼着烟斗,'嗯——我们不得不承认,这个点子挺有意思的!艾力克这小子从小对声音就很敏感,也许未来继承我们衣钵的就是他!'"爸爸学爷爷说话的模样,真是像极了。

贝尔转头拉起母亲的手:"所以,妈,爷爷要我去伦敦和他住了一年。这件事你早就知道了,对不对?"

母亲微笑地拍拍他的手。

原来这一切早已有安排……

---

1 艾力克:是亚历山大的缩写昵称。父亲后来都以此昵称称贝尔。

第三节　一年的伦敦生活

多看、多听、多观察，然后整理、归纳、思考，一定能有所成就。

——贝尔名言录

爱丁堡虽不是偏僻的乡村，但终究比不上大都会伦敦。和爷爷住在伦敦的那一年，除了与爷爷讨论许多学习、探索和人生的问题，也因为伦敦每天都有新奇的事件发生，扩大了贝尔的视野。

第二天，在夏日海风的吹拂下，贝尔和父母亲又登上甲板，继续前一天未完的话题。

“虽然妈妈舍不得你，但是我们相信，你和爷爷住，又在伦敦，一定可以学到许多东西!”父亲直视贝尔的眼睛，好像要看透他脑中的想法。

没想到，贝尔却大笑起来：“那一年，我学会的第一件事，就是在大街上不要被撞倒!”回想起街上那些有趣的景象，贝尔忍不住又噗哧地笑出声来。

父亲从嘴里拿下烟斗，瞪着笑弯腰的贝尔：“不要被撞倒！这到底是怎么一回事？爷爷的信里可不是这么说的。”

贝尔边笑边说：“爸爸，你知道，伦敦是个繁忙的大城市，主要街道上到处都是公司行号与办公间，除了逛街、购物的人，大街上还有一种重要的人!”

"什么人?"父亲被勾起好奇心了,烟斗都忘了放回嘴里。

贝尔故意小声地回答:"送电报[1]的信差。"

"信差?"不仅父亲的烟斗差点掉下地,连母亲也不可置信地瞪大眼睛。

贝尔用手指假装信差,在半空中快速移动:"这些信差在街道上横冲直撞,抢时间从这间办公室将讯息送到另一间办公室。于是,街上除了他们'借过、让路'的吆喝声外,就是'哎哟!哎哟!'被撞倒的惨叫声,还有老年人和推婴儿车父母的咒骂声。听说,有些被撞倒的老人气不过,揪住信差,要街角巡逻的警察为他主持公道呢!"

妈妈拿出手绢,按了按笑出泪水的眼角:"我可以想见街道上那些混乱的状况。难道没有办法可以解决吗?"

爸爸的嘴角也带着笑:"就当成那是在城市中该学习的生活技能吧。不过,艾力克,你是否跟妈妈分享了那架说话的机器?"

母亲用手指拢拢被风吹乱的头发,眼光在父子俩间轮流看来看去:"说,你们什么事情瞒着我?"

"妈,我们巴不得能跟你分享,怎么会瞒你呢!"贝尔搂一搂母亲的肩膀,"一定是当时有太多的事情急着跟你说,漏掉这一件了。"

---

1 电报:早在1753年,就有英国人提出使用静电来传送讯息的原理。1837年,查尔斯·惠斯通与威廉·库克共同开发的"指针式电报"问世。同年,美国的萨缪尔·摩尔斯取得美国的电报专利。他发展出一套将字母及数字编码拍发的方法,称为摩尔斯密码。此一方法为世人所接受,通行于全世界。

母亲假装生气地推贝尔一把:“你就快从实招来吧!”

“其实那是爸爸的主意!”贝尔眼睛发亮,“爸爸带我去拜会一位科学家——查尔斯·惠斯通教授[1],我们看到了一架能讲话的机器。啊哈!那真是架了不起的机器!一边会发出‘S’的哨音,另一边会发出‘SH’的哨音。惠斯通教授就是想知道,可不可以通过机器发出不同的语音。”

爸爸满脸的笑意,催促着:“说说它的长相与操作方式。”

贝尔用手势加强描述:“那是一个铁制的盒子,上面有两根操纵杆、两个出气孔,前后还各有一个风箱。铁盒子的前端有个橡皮制的共鸣器。操作的时候,惠斯通教授一只手挤压共鸣器,另一只手拨动操纵杆,出气孔就会发出一个音。”贝尔学机器发出的声音,还没忘了加一句:“很有趣!”

妈妈突然拍拍额头,恍然大悟:“原来就是因为教授的机器,所以才引发你们也做了一架‘头骨说话机’,是不是?”

1 查尔斯·惠斯通(1802—1875),英国人,出身于音乐世家,对声音学有深入研究。后来投入光学和电学的实验,被科学界认可。

1834 年,他根据匈牙利人坎波兰于 1791 年所出版的《说话机器》一书(此书及其设计图和机器现收藏于柏林德意志博物馆),重建说话机器,在都柏林展出。1863 年,贝尔到伦敦国王学院拜访他时,亲自操作过那架机器,留下深刻的印象(因而模仿制作头骨说话机)。

1837 年,惠斯通教授与威廉·库克共同开发的“指针式电报”取得英国专利,1839 年为英国大西方铁路公司采用,作为两个车站间的通讯之用,线路长达 13 英里,是首条真正投入营运的电报线路。

“是啊！只是当时你要求我们公开机器时，‘说话机’还在测试阶段，我们很担心会让你失望呢！”

父亲的手抚摸着下巴：“嗯……我还记得，我绕着‘说话机’仔细打量，上上下下地看个不停。如果我没记错，那是一个用羊骨、木头、橡胶等材料组合而成的模型。只要对着模型的嘴巴用力吹一口气，虽然模型没有嘴唇和舌头，却能发出类似‘妈妈’的声音。”

贝尔也兴奋得脸都红了：“当时你还问我们，‘这台机器如何发出声音？’”

妈妈一直在旁边用手绢捂着嘴巴笑。

“嗯，当时你们兄弟三人互看一眼，你哥哥和弟弟还用手肘拐了你一下。”爸爸用烟斗柄指了指贝尔，“我就等着你跟我解释。你往前一站，一边操作模型，一边说明……”

贝尔接口：“因为人说话时，空气会通过喉咙里的组织瓣，也就是爸爸你说的声带，震动它，发出声音。如果能再加上嘴唇和舌头的动作，一定能发出更准确的语音。只是，当时我们年纪太小，对人体的生理结构不熟悉，所以一直没找到方法来克服这个问题。”

“虽然你们并未找到解决的方法，但是你们兄弟三人合作的精神，让我非常开心。”父亲肯定地点点头。

贝尔转头望向母亲，希望听听她的意见，却发现哀伤不知何时又悄悄爬上她的脸庞。隐约间，他好像还看见母亲打了一个哆嗦。

“妈……”贝尔想再度搂住母亲的肩膀。

父亲却比贝尔早了一步，用披肩包住妈妈，扶她站起来。“好了，艾力克，今天就聊到这里吧。天色晚了，海风也更凉了，我和你妈要进舱房休息。我们明天早上见。”

看着父亲扶着母亲的身影隐没在甲板的阴影中，贝尔心里明白，母亲眼底的那抹哀伤，除了怀念生活了一辈子的爱丁堡外，还有来自哥哥和弟弟死于肺结核的伤痛；他们都已长大成人，却在这一两年内相继过世。

人生最大的悲恸，莫过于白发人送黑发人。即使贝尔，偶尔忆起他们兄弟三人打闹的场景，都忍不住眼眶含泪，更何况是母亲呢！

而这正是他们不得不带着贝尔离开又湿又冷的英国的原因：期待仅存的儿子——亚历山大·格雷汉姆·贝尔，能在新大陆健康、快乐地求学、结婚、生子、事业有成，直到终老。

第四节　梦想之地

即使要花一辈子的时间，只要打定主意，我就不再动摇！

——贝尔名言录

充满绿意的新大陆，随着轮船入港，缓缓展开。

贝尔站在港口，深深地吸一口加拿大的空气，咸腥的海风中混着远处林木飘来的香味。他心里暗暗高兴，有着森林气息的地方，正可以为思乡的母亲疗伤。

只是，搬家挺累人的，尤其从大西洋的另一端，且要离开居住几十年的处所，贝尔从没想过竟要带着这么多的家当飘洋过海。贝尔让母亲坐在堆得像小山似的箱笼上休息，自己则不断在四周巡逻，以防有人顺手牵羊。因为每一个箱笼都藏着母亲对故乡的怀念。

父亲找到载货马车回到港口。另一场混乱又开始了。贝尔紧盯着脚夫的动作，心里暗数着数目，生怕一不小心遗漏了其中的一箱。

做这些事情，贝尔一点儿也不会烦躁；游戏玩耍的时候可以疯狂地投入，但是该仔细、专心的节骨眼，他也可以立刻收心进入状况。当时，他完全不知道，就是这样的特质，让他在研究发明的领域争得一席之地。

抵达加拿大的头几天，他们先借住在父亲的好朋友——托马斯·韩德森先生的房子里。大部分的箱笼都还没打开呢，新购置的房子就已经整理妥当，他们手忙脚乱地又移了过去。

家当陆续就位后，父亲领着贝尔走到屋后的空房间。“艾力克，喜欢吗?”

贝尔走到窗户边，往外望去，惊呼起来：“哇！好美的景观啊！”

映入眼帘的是屋旁的小树林，浓绿的树叶正随着八月的微风轻轻摇摆，带来温暖和植物清香的气息。另一边的窗户则可以看到一条映照着天光的小河，潺潺的流水声隐约可闻。

“父亲，这个房间留给妈妈吧?”父亲摇摇头。

“不留给妈妈太可惜了！光线、景致都这么好。难道……”贝尔满脸疑惑，“难道父亲有什么特别的用途？”

父亲搂住贝尔的肩膀：“特别为你准备的。”

“为我？”贝尔不可置信，“这么好的房间给我？为什么？”

“给你当工作室。”父亲的眼睛直视贝尔，“你妈和我都认为应该留给你。而我也相信，你会需要一个独立的空间，做你想做的事。”

“谢谢父亲！”二十三岁的贝尔，像小时候一样，紧紧地抱住父亲。当他抬起头时，看到母亲含着泪水，微笑着张开双臂，站在门口。贝尔放开父亲，快步投入母亲的怀抱。

他知道，父母亲将唯一的希望都摆在他身上，所以愿意将最好的东西留给他。而他绝不能辜负父母亲的期待！

“梦想之地”是这间美丽工作室的名字，正可以代表贝尔一家人的希望。

贝尔在这里，实验人类的发声，继续改良“可见式语言”，以便在教导听障人士时更贴近他们的需求，更快改善他们的发声。因为有正确、清晰的发音，他们就能更快被社会大众接受。听障人士与社会大众间的隔阂和疑虑消除了，才能展现祥和的世界。

除了偶尔陪父亲出门去演讲，贝尔每天都花许多时间待在“梦想之地”，详实记录他所做的实验。也因为他的努力，几百里外的美国波士顿大学都听闻了，寄出聘书，邀请他前往该校，担任“声音生理学”的教授。

贝尔的父亲从1860年代开始，发展出一套语音符号系统，以图表来标示舌、唇的位置以及嘴型和呼吸，称之为“可见式语言”。

贝尔兄弟熟悉了这套符号后，经常随着父亲出去演讲，担任助教。

在演讲会场，贝尔或他的兄弟不会跟着进入会场，而是先在会场外等候。父亲则请学员举出他们认为非常难发声的语音，父亲会以符号写在黑板上。

重头戏上场了。父亲请儿子进入教室，要他们根据黑板上的符号来发音。贝尔兄弟根本无需练习，看着符号，立刻就能准确发出这些艰难的语音。

这样的表演，不仅让在场人士错愕，连语言学家都十分惊讶。

因此，贝尔和父亲开始思考，这套符号是否可以帮助听障人士学习说话。而贝尔后来虽然以电话发明家的身份为世人所知晓，但

他的一生为听障教育所做的努力，也功不可没。

第一节　可见式语言训练

人类之所以被称为万物之灵，是因为能“活到老，学到老”！

——贝尔名言录

贝尔懂事以来，就常看到爷爷和爸爸教人学习如何利用声带发声、说话。他们信心满满地站在讲台上，用教鞭指着贴在黑板上的图表，教学生试着振动声带，再进一步利用嘴唇和舌头摆放在不同的位置，发出准确又好听的语音。因为上台次数多，加上民主风气逐渐开放，他们甚至教起演讲术，指导大家如何在公众场合不怯场，侃侃而谈。

贝尔打从心里敬佩父亲和爷爷，也认为造福人类是每个人应有的责任。因为父亲和爷爷的身教，贝尔常常躲在房间里，利用父亲的方法，以自己为实验对象；他对着镜子，用拇指和食指按着喉咙，发出不同的高低音，感觉声带振动的变化。学会控制声带后，他又嘟起嘴巴，试验嘴唇加上声带所产生的不同语音。最后，又试着摆放舌头的位置，同时使用三个部位来发出艰难的或外国的语音。

而贝尔的母亲在他十二岁时，逐渐丧失听力，也成了听障人士，这让他更能体会听障人士生活中的艰辛。这也让他思考，如果能在儿童时期，就训练使用他所实验的教学法，听障儿童就能及早融入社会大众，不被歧视。

果真，通过这一套有效率的教学，许多原先有听力，后来因病或意外丧失听力的听障生，因为有过听别人说话的经验，看到图形很快就能心领神会地说话，语音虽不是很准确，却也使他们产生了信心，愿意开口了。当然，大部分的听障生第一次用手指摸着自己的声带，感受到自己声带的振动，都非常讶异，他们原以为自己永远要处在无声的世界中，不能听，无法说。他们不知道，他们绝大部分的人只是听力受损，声带却和常人一样。所以能像正常人一样发出声音，他们个个都雀跃不已、高兴万分！

此外，学习注视别人说话时口唇的变化，也有助于了解别人表达的意思，因而得以适切的响应。因此，他们和常人之间的沟通越来越顺畅，生活越来越顺利，也越来越能适应常人的社会。

贝尔十六岁时，几次成功的经验让他信心大增，认为自己可以离家去当听障儿童的老师了。

于是，他瞒着爸爸，写了一封推荐信给苏格兰南部莫瑞区的威士顿学院，信中被推荐的老师是亚历山大·格雷汉姆·贝尔和爱德华·查尔斯·贝尔两位先生，推荐人一栏则是亚历山大·梅尔威勒·贝尔教授的签字。

威士顿学院院长斯金诺收到著名教授的推荐信非常高兴，他立刻回信，信中充满热情，竭诚欢迎两位贝尔先生到该校任教。

贝尔和弟弟本以为,长期在外面四处演讲的父亲应该不会知道,而且就算他回家才知晓,他们早已接受聘书,到威士顿学院授课去了。届时,生米已经煮成熟饭,父亲总不至于把他们强行带回家才是。

可是,人算不如天算啊!这封聘请函正巧被提前回家的父亲收到。

这一天傍晚,贝尔和弟弟查尔斯从外面嘻嘻哈哈、推推搡搡地踏进家门,却看到父亲一脸严肃地坐在起居室等着他们。贝尔和查尔斯立刻知道大事不妙了,赶紧收起笑容。

父亲招招手:“你们两个过来。”

贝尔和查尔斯互看一眼,乖乖地坐上指定的位置。

父亲严厉的眼神在他们的脸上来回看了好几遍,一句话也没说。

贝尔有大难临头的恐惧。

“为什么冒用我的名字!”父亲并未大声说话,但是每一个字都让贝尔心惊胆跳。

贝尔抢在查尔斯之前先开口:“爸,是我的主意。因为我们认为,我们有能力去帮助听障人士了。”

查尔斯想补充,但父亲没给他机会。“如果你们真有本事,可以用自己的名字提出申请,为什么要冒用我的名字?”

父亲紧追不舍,显然不是怀疑他们教学的能力,而是冲着冒名的问题而来。

贝尔和弟弟低下头。

“我相信你们已经有能力去教学，我也不反对为你们写推荐信。但是，你们没经过我的同意，冒用我的名字，你们知道，这是不诚实的行为！如果你们不是我的孩子，我可以提出控告！”父亲的口气非常严峻。

“控告！”

听到这两个字，贝尔和弟弟不安地在椅子上扭动身体。

“诚实！我一再耳提面命，并且以身作则地教导你们。”父亲的语气中混杂着难过与失望，“我们的家规就是，绝不可以为了取得金钱或名誉的目的，做出不诚实的事！而今天，你们为了得到这个职位，冒用我的名字，就是不诚实的行为。这个行为让我非常难过，也让我一再检讨，我是不是做了错误的示范。”

这的确是贝尔当时没想到的。他只想到有爸爸的名字当保证，他就可以达到去当老师的目的，却没意识到那是不道德的……

贝尔和弟弟羞愧得不敢抬头看父亲。

这时，母亲端着茶点走进来。她把茶点放在茶几上，绕过贝尔和弟弟坐的椅子，把手搭在他们的肩膀上，轻轻地按了一下，才坐到他们对面。

父亲的语气和缓了下来。“你们两个都当过我和爷爷的教学助手。我和爷爷也肯定你们的能力，你们要去教学，一定没问题。但是，今天除了我说的不诚实，我和你妈还必须考虑你们的年龄。艾力克，

你……”

“十六岁。”贝尔赶紧说明。

弟弟查尔斯接腔:“我十四岁。”

母亲也开口:“你们都还小,尤其是查尔斯!到那么远的地方去教学,我不放心。”一边倒出热茶。

“刚刚我已经跟你妈妈讨论过……”父亲接过母亲倒给他的热茶,“我做了一个决定。”

贝尔和查尔斯抬起头来,注视着父亲。

父亲啜了一口热茶,放下茶杯。“艾力克,如果你能记取这个教训,永远不会再犯,我同意你去担任老师。”

贝尔高兴得拍了一下大腿。

“但是……”父亲的语气还是很严肃,“只有一年!这一年内,我希望你能谨守一个人基本的道德与伦理。一年后,你必须回到爱丁堡大学,继续你的课业。至于查尔斯……”

弟弟挺直胸膛。

“你暂时还不能去。必须先完成现在的学业,如果一年后你还愿意,威士顿学院也接受,我们可以同意让你去。”

弟弟跳起来,抱住贝尔。两人在起居室里又叫又跳,闹得爸爸和妈妈都笑起来了。

这个结果真是太令人满意了。

十六岁的爱丁堡青年亚历山大·格雷汉姆·贝尔正式当老师了。

他采用父亲、爷爷的语音教学法，加上自己所研发的方法，教导听障儿童如何发声说话。也因为这一年独立教学的经验，他将听障教育以及为听障人士争取福利的工作，当成了一生的志业！

第二节　美好却短暂的伦敦生活

不要只走大马路，偶尔钻进路旁的树林，一定会有意想不到的收获！

——贝尔名言录

贝尔十八岁时，英国及欧洲规模最大的伦敦大学聘请爸爸担任语音学的教授，因而举家离开爱丁堡，迁往伦敦。

贝尔挤在伦敦大学几万名学生中，注册成为大学新生，同时选修解剖学和生理学的课程，并在爸爸远去美国巡回演讲时，暂代他的课。虽然教室里的学生年龄和他相仿，甚至比他大，但过去几年的助手经验，加上学习了家传的演讲术，贝尔站在讲台上，一点儿也不会担心或害怕。他自信地带领着父亲的学生，有条不紊地练习各种发音，认识语音的理论。

伦敦对贝尔来说算是旧地重逢，因为贝尔在十三四岁时曾和爷爷在伦敦住过一年。只是伦敦实在太大了，早年的旧城区，加上逐渐往外发展的新城区，错综复杂的道路、小巷……许多地方是贝尔从没

去过的。这一次定居长住，又有哥哥、弟弟作伴，正好可以好好地认识伦敦。因此，他们常常相携利用课余时间在伦敦四处探险。

这一天，贝尔兄弟去搭乘两年前才开通的地铁[1]。

在这之前，他们所搭乘的火车，车头冒着黑烟，不时呜呜呜发出声音，在宽广明亮的草原或蜿蜒弯曲的山间快速奔驰。就算进入市区放慢速度、准备靠站，旅客仍可以从窗户看见房舍顶端的天空。而他们听说，地铁的车厢虽然和火车车厢类似，却在黑暗的地道中怒吼狂奔、钻来钻去。描述的人说得口沫横飞，未曾搭过的贝尔兄弟却仍无法想象。

他们鼓起勇气，从阳光灿烂的地面随着移动的人群走入地下。他们看到那些头戴毡帽、手上拿着黑伞的绅士们，悠然地站在月台边，不是相互聊天，就是低头阅读报纸，传达着“搭地铁就如吃饭一般简单”的讯息，兄弟三人紧绷的肩膀才慢慢放松下来。没一会儿，拖着一长串点着昏暗小灯的车厢，仿佛一条火龙的地铁火车停在他们的面前。兄弟三人随着人群，鱼贯走入车厢。启动后，只见快速移动的车厢在伸手不见五指的地道里穿梭前进。贝尔可以听到自己的心脏因为兴奋掺杂着害怕而狂跳着。感觉上好像过了很长的时间，又像是只眨了两次眼睛，火车靠站了。他们脚步不稳地走出了车厢，回到地面，再度看到扎眼的阳光迎面而来，仿佛历劫归来，三人忍不住相拥大笑起来。

1 伦敦地铁：于 1863 年建立，是世界上最古老及最大的地铁系统。

从此以后,他们知道,搭乘地铁可以走遍整个伦敦,而且一点也不可怕!

遇到天气晴朗的日子,三人探险小组会增加一名成员——母亲。为了母亲,他们会放慢脚步,慢慢探察。

这一天,他们挽着妈妈去泰晤士河岸散步,远眺伦敦港。

伦敦港是英国最繁忙的港口,水路交通及码头等相关设施主要集中在泰晤士河沿岸。但由于市区的河道过于狭窄,大型的船只无法进入,只好在下游停靠,再由货车接驳将货物运入市区。

贝尔指着来往频繁的小船,靠近妈妈的额头,慢慢地解释:“泰晤士河水位稳定,流速较缓,河宽水深,很适合船只航行。但是,在牛津以上的河段仅能航行平底小船;牛津与伦敦之间可行驶驳船、小汽船、帆船及汽艇;伦敦以下的河段就可以通行吃水十米的船只,而在伦敦东方的提尔贝利甚至可以停靠远洋邮轮呢!”

妈妈的眼神在桅杆林立的港边穿梭,着迷得很。虽然这样的机会不多,但能够由孩子作伴,走出家门透透气,母亲的心情特别愉快,她总是充当最好的听众,仔细聆听孩子们的解说。

在伦敦众多值得探险的地方中,大英博物馆[1]是他们兄弟最爱

1 大英博物馆:又称不列颠博物馆,成立于1753年,是英国伦敦的综合博物馆,也是世界上规模最大、最著名的博物馆之一。早期主要以自然历史标本为展品。

去的地方。

确定要去博物馆之前，贝尔一定先在家仔细阅读将要参观的展品简介。就他所知，大英博物馆是世界上规模最大、最著名的博物馆之一。著名收藏家汉斯·斯隆爵士[1]在1753年去世时，于遗嘱中声明，指定将他遗留的大批植物标本及书籍、手稿捐赠给国家。然而，遗物实在太多了，整理、分类、摆放展示品，竟然耗掉相关人员六年的时间，直到1759年1月15日，大英博物馆才正式对社会大众开放。

既然国家花这么长的时间来整理这些重要的文物、标本，民众若不是每次选择不同的主题观赏，根本无法在一天内看完。而且，即使已经设定主题，并且在家做过功课，在迷宫似的博物馆中走了一天，仍会教人看得昏头转向。

贝尔和兄弟们每次都坚持看到关门铃响起，并被警卫催促，才依依不舍地离开。而且，前脚才踏出博物馆大门，贝尔就和哥哥、弟弟约定下次的参观时间。

走在回家的路上，贝尔紧紧地抱着札记本，意犹未尽地嚷着："这是个大宝库啊！一定要常常来巡一巡、看一看，而且不可'入宝山空手而回'哦！"

---

1 汉斯·斯隆爵士（1660—1753）六岁时，父亲过世。他对科学充满兴趣，也喜欢冒险。他长大习医，曾在西印度群岛服务多年；后搬回英国定居，精湛的医术受到社会大众的肯定。他不仅是大收藏家，还是冲泡式巧克力的发明家。他过世后，伦敦为了纪念他，将市内一处大广场取名为"斯隆广场"。

如果没有整天的空闲，他们则在回家的时候，顺路绕到可以远望伦敦塔的地方，竖尖耳朵，注意聆听每十五分钟报时一次、钟声宏亮的大笨钟[1]。他们常常仰头看着上半身藏在黄色雾气中的钟楼，互相打赌，现在的报时是几点几分。当然，猜中的人可以得到其他两人英雄式的欢呼。

此外，每次看着大笨钟时，贝尔的脑子就不由自主地冒出许多问号："这么巨大的钟面、指针，是如何吊挂、安装上去的？"

"家里的时钟，每天都要上紧发条才能继续走动。大笨钟如何上发条？又要几个人才能转动发条呢？"

"发出这么响亮的钟声，想必里面的铁钟也非常大，当初是如何铸造的呢？又需要多少人力才能将它拉上塔顶？"

……

虽然无法得到解答，但正是他对什么都好奇的态度，帮助他走上了发明之路。

却说，贝尔一家住在伦敦，每天都可看到许多新鲜的事物，兄弟三人在学校里也有许多趣事。所以每天的晚餐，正是他们兄弟三人在饭桌上七嘴八舌，争着向父母亲描述自己所见所闻的重要时段。因为母亲听力受损的缘故，他们还互相约定，抢到母亲位置旁边的

1 大笨钟：即威斯敏斯特宫钟塔，英国国会会议厅附属的钟楼昵称。坐落于泰晤士河畔，是伦敦的地标之一。钟面直径 9 英尺（约 2.7 米），重 13.5 吨。

人，就可以第一个说话。因此，位置争夺战每天都在贝尔家上演，餐桌上总是充满笑声，热闹非凡。

只可惜，这样美好的日子并不长，哥哥和弟弟陆续染上肺结核，连贝尔也有轻微的病症。

往常有趣、温暖的晚餐时刻不复存在，哥哥和弟弟各自在房间里用餐，不时还传来剧烈的咳嗽声。贝尔虽可以和父母亲同桌吃饭，但为了不传染给母亲，不能再靠着母亲的额头说话。甚至很多的时候，三个人都低着头，默默地吃着，不敢高声说话，以免影响哥哥和弟弟的心情。

当时的英国是世界第一大强国，国旗插满了世界各地的殖民地，不管地球如何转动，总有英国的国旗迎向太阳，号称“日不落国”。而伦敦又是英国的首善之区，拥有最先进的科技、最丰富的人文资产，但即使父母亲请来最高明的医生，使用最优良的药物，哥哥和弟弟仍然不敌病魔，先后离开人世。这个沉重的打击，让全家陷入前所未有的惊恐中，尤其是母亲，她担心贝尔会步上后尘。

这一天，贝尔放学回家，感受到家里的低气压。家里少了他们兄弟的打闹声，显得特别安静。但对声音敏感的贝尔听到书房里传来隐隐约约的说话声，这少有的情形勾起了他的好奇心。他忍不住拉开紧邻着书房的衣物间，进去坐在里面的小凳子上，耳朵紧紧地贴上墙壁。

他听到父亲低沉的声音：“你的意思，药物对艾力克是有效的，

他的病情被控制住了。”

另一个声音响了起来：“目前看起来是这样。”是为贝尔兄弟诊治的医生。

贝尔听到母亲喃喃地念着：“感谢上帝。”

但是医生又说：“不过，接下来会怎么样，我不敢保证。”

父亲的声音里有讶异、有惊慌：“你的意思是……”

“伦敦的雾。”医生很沉重，“我们认为伦敦的雾对年轻人的肺不好。”

墙壁的那一头传来母亲强力忍住的呜咽声。

“你有什么建议?”父亲仿佛溺水的人，想抓住最后一根稻草。

脚步声往壁炉走过去。贝尔想象医生背着手走路的模样。“如果可以……”医生停顿一下，“离开伦敦，找一个阳光明媚的地方长住。”

“我们回爱丁堡去!”贝尔可以想见母亲紧紧抓着父亲的手臂，哀求着。

医生的话插进来：“爱丁堡太湿太冷，更不适合。你们可以往南，地中海附近……呃……最近很多人移民美洲，也许你们可以考虑。”

脚步声开始移往书房门口。贝尔赶紧钻出衣物间，假装刚从门外进来。

父亲正好打开门，医生走了出来。贝尔恭恭敬敬地打招呼：“医生，您好。”并且打开衣物间，帮医生拿出大衣、雨伞和帽子。

父亲和医生在门口又低声地聊起来。贝尔则进入书房，坐在妈

妈椅子旁的地上，双手紧紧地握住妈妈冰冷的手。

为了保住贝尔的健康和生命，父亲决定，举家迁移加拿大，像往南飞的燕子，寻找温暖的阳光。

第三节　年轻的波士顿大学教授

不要只是学习知识，还要学会思考。

——贝尔名言录

远离伤心地，又在阳光明媚的夏末移居加拿大，似乎治疗了母亲的伤痛。只是，他们还来不及熟悉加拿大的安大略省，美国的波士顿已经向贝尔招手了。

第二年的春天，冰雪开始融化，刚刚冒出的植物嫩芽把大地装扮出一片新绿，鸟雀也在枝头跳跃、喧闹，到处宣扬春临大地的讯息。

4月，贝尔应聘到波士顿大学担任“发声生理学”的教授。这是一门特别的课程，选这门课的学生未来都将从事于听障生的教学。贝尔用的是爸爸和爷爷研发多年加上自己改良的“可见式语言”。年轻的贝尔教授和学生打成一片，要他们反复练习如何发声、矫正嘴型、调整呼吸，必要时还会抓住他们的手，触摸自己的喉咙，感受声带的振动，或让他们瞪大眼睛，专注观察他嘴型细微的变化。贝尔的教学严格却有方法，学生都认为很有收获，也越来越有信心投入这项艰巨的工作。

为了让学生有标准可用，贝尔认真地整理爸爸和他自己教学的经验，编了一本书《可见式语言导论》，帮助学生即使离开学校，仍可常常复习，以便利教学工作的进行。

除了教学法，贝尔也在课程中苦口婆心地提醒："你们和听障人士相处，要像对待自己的亲人一般，处处为他们着想，体谅他们在生活中的不便。如此，他们才能感受你的用心，也才会有进步。千万要记住……"贝尔换上严肃的表情，"这是一个服务人群的志业，你们不只是来学习发声的技巧的！"

会做这样的提醒，是贝尔细心观察及思考所得。

他从母亲及其他听障人士的身上，深深感受到社会对他们的歧视。大部分不认识听障人士的民众，以为听障人士都是智能不足的人。这些自以为是的民众与听障人士相处时，常常故意模仿他们说话的样子、动作，打击他们学习的信心；要不就在他们面前把话说得很快，让他们无法跟上、反应不过来……因此，听障人士在学业成绩上的表现常不如一般人，生活学习也慢半拍，恶性循环的结果，使他们变得没信心、无法适应社会，干脆自成小团体，在团体中互相寻求安慰，长久下来，就更显得与社会格格不入了。

贝尔也观察过几个听障的孩子，因为他们听觉上的障碍，连自己的家庭都无法接纳他们，想尽办法把他们隐藏起来，不让别人知道。

开明的家长就算带着孩子走出阴影，也无力教育孩子认识自己、肯定自己。所以他们常常成为被排挤、被忽略的一群。

但是，听障人士也是人，也有旺盛的求知欲，希望学习新事物，甚至也有很高的智商。而且就贝尔的接触来看，他们的学习比常人更专心、更快！因为他们不受“噪音”的干扰。

电话成功发明后的一天，他回家探望父母亲，父亲开玩笑地对他说：“艾力克，你最近为电话业务忙得焦头烂额的，身体都没照顾好。我看，不如你把那个不赚钱又花钱的听障教育工作交给别人，好好地专心推广你的电话吧！”

贝尔没有反驳父亲，反而展开笑脸：“爸，虽然推广听障教育、为他们争取福利没钱可赚，但我的心却很踏实，比赚大钱还快乐呢！”

这就是贝尔，年轻的波士顿大学教授，打从一开始接触听障教育，就一生没有改变过。

第四节　海伦·凯勒的感谢

电话的发明虽然为我带来名誉和金钱，但为听障教育贡献心力，可以带来更多的快乐。

——贝尔名言录

贝尔正式在美国参与听障教育后的某一天，一对满脸疲惫的夫妇带着一个小女孩，登门请求贝尔教授提供意见。

爸爸自我介绍："我姓凯勒，这是我太太，还有我的女儿海伦。我们从亚拉巴马州来。"

贝尔注意到，海伦的眼睛看不见，但充满好奇心，乍到一个陌生的环境，竟一点儿也不害怕，立刻伸长手臂，想要探索周遭的事物。

贝尔轻轻地把她揽过来，抱上自己的膝盖。

妈妈拿着手绢。"前几个月，我们在美国杂志上，看到一个叫布莉姬的小女孩，和海伦一样……又聋又盲……"妈妈好像难过得无法继续述说，用手绢捂住嘴巴，但是凯勒先生拍拍她，给了她支持的力量，她深吸一口气，"然而，布莉姬竟然已经开始接受教育了，这给了我们很大的鼓舞。"

凯勒先生接口："我们打听到，你是这一方面的专家。相信你可以给我们最佳的建议。"

贝尔又看到一对满心焦虑的父母，为了残疾的孩子不辞劳苦、四处奔波，即使希望非常渺茫，也不愿放弃。他打从心里同情，如果可以，他愿意用自己的生命与他们交换。

他搂着海伦，轻轻摇晃。一向动个不停的海伦，此刻竟可以安安静静地坐在他的膝盖上，好像找到了避风港。

贝尔开口问："海伦现在几岁？"

"六岁。"

"她出生时就这样吗？"

“不……”凯勒太太想要开口，可是立刻又泣不成声，只好让凯勒先生补充说明。“她在一岁半以前，一切都很正常，听到声音会转头看，会发出笑声，会指东西要我们拿给她。那时她正在学走路，也开始学说话。我们印象很深刻。有一次，她看到摇晃的树影映在地上，立刻咿咿呀呀地走过去，想抓住影子，结果摔了一大跤，还哇哇大哭起来呢！”

这些原来都是美好的回忆，可是此刻说来却特别感伤。但凯勒先生咬着牙继续说：“她一岁半时，有一天突然发高烧，一连几天都不退，医生根本束手无策。好不容易高烧退了以后，她的外表看起来还和以前一样，但却看不见、听不到也无法说话……”说到这里，连看似坚强的凯勒先生都难过得泣不成声。

贝尔一边听着凯勒先生的描述，一边注意到海伦的手仔细地摸着他挂在胸前的怀表。贝尔可以感觉到海伦的手指头，虽然细细小小的，却很有次序地顺着表链、扣环、表面触摸，好像要把它们深深地刻在脑中，以便认识这个奇怪的东西。

观察到海伦的特质，贝尔知道可以怎么帮上忙了。

“我很抱歉我无法亲自教导海伦。因为我所倡导的‘可见式语言’，学生的眼睛必须能看得到，才能根据我的图表学习发音。此外，学生不能是先天性的听障，而是在成长的过程中，因为生病或意外才失去听力，这样，学习使用‘可见式语言’，才会有明显的效果。”

听到贝尔的解释，凯勒夫妇露出失望的表情。

贝尔赶紧安慰他们:“不过,你们别担心。我推荐亚纳古诺斯校长创办的学校。他们有多位非常有耐心、有教学法的老师,采用以手指在手心写字的‘指话教学法’,有惊人的成果。我相信,亚纳古诺斯校长一定很乐意推介一位适任的老师去教导海伦。我立刻为你们写一封推荐函!”

原来以为又碰钉子的凯勒夫妇立刻破涕为笑,多年笼罩在头上的乌云一扫而空,阳光重新洒在他们身上。

因为贝尔的帮助,他们相信海伦的未来充满希望。

多年后,贝尔因为发明电话,已经是一个成功的发明家了,但他仍然在听障教育的领域努力,因而有机会再度遇见海伦·凯勒[1]。

那时,海伦·凯勒已经长成一个亭亭玉立的女孩,虽然又聋又盲又哑,但因沙利文老师[2]的耐心教导,能了解别人所说的话,也能顺利地表达自己的意思,甚至还在世界各地公开演讲,努力推动听障人士的福利事务。

---

1 海伦·凯勒(1880—1968),美国残障教育家。她幼年因疾病而失明、失聪且无法说话,却因沙利文老师的教导,学会与人沟通的技巧,并开始接受教育。长大后就读于哈佛大学,并取得学士学位。她一生致力于促进聋盲人士的福利。

2 安·沙利文(1866—1936),美国著名的残障教育家,是海伦·凯勒的启蒙老师。沙利文老师有爱心、有方法;她先了解海伦的脾气,与海伦建立互信,才开始教导海伦手语,教她学习与别人沟通,慢慢再教导海伦用手指点字及基本的生活礼仪。海伦大学毕业后,她也常陪伴海伦巡回演讲,促进聋盲人士的福利。

看到她了不起的成就，贝尔高兴得紧紧地拥住她："我就知道你会有不平凡的成就，除了爸妈的支持，背后的功臣是哪一位？"

贝尔说这些话的时候，海伦·凯勒一只手放在他的喉咙，一只手放在他的嘴巴前面，专注地感受他声带的振动及嘴型的变化。

立刻，海伦·凯勒转身将站在她身后的一位女士拉过来，同时抓起贝尔的手掌，在他的手心写出："这是我的恩师——沙利文女士。她因为您的推荐，走入我的生活，为我带来阳光与声音。所以，我要谢谢您，您也是我的大恩人！"

贝尔看着沙利文老师，感动得热泪盈眶。他们三个人的手紧紧地握在一起，久久不放。

从此以后，只要海伦·凯勒巡回演讲经过贝尔居住的城市，她一定会去拜访贝尔。有一次，海伦·凯勒去拜访的时候正好遇上贝尔要去探望父母。

"走，跟我们一起去！"贝尔邀请她，"他们会很高兴认识你。"

"恰当吗？"海伦·凯勒基于礼貌，打算拒绝，"这是您的家庭聚会时间。"

"你要遇到了我爸那个老顽童，铁定会喜欢上他的！"贝尔领着海伦·凯勒走上车子，"还有我妈，慈祥的老妈妈，也会像磁铁一样吸住你。"

贝尔坐在前座驾车，后座有贝尔的太太玛蓓尔和海伦·凯勒。

玛蓓尔因为猩红热[1]而失去听力，曾是贝尔的学生。她们两位女士互相用手摸对方的喉咙，要不就在对方的掌心写字来交谈，不时笑得东倒西歪，闹得贝尔也忍不住笑了起来。

贝尔的父亲当时住在河边。他们抵达时，父亲正搀着母亲要去河边散步。两个男人比手画脚地欣赏风景，讨论所听到的声音可以用什么符号来代表。三个女人则在后面悠闲地踱步，尽情享受大自然的风光。母亲和玛蓓尔充当海伦的眼睛，不时在海伦的掌心写下她们的所见所闻。因此，海伦仿佛可以看见河边优美的风景、来往船只的颜色，也随着她们向船上的人热情挥手。

有一次，贝尔夫妇带着海伦·凯勒和沙利文老师到郊外去玩，玩得非常开心，并采了许多野花。驱车回家的路上，贝尔突然提了一个主意："这么多漂亮的鲜花，我想给母亲一份。"才说完，他把车头一转，"现在就去，给他们一个惊喜。"

下车前，他特别叮咛其他人："我们先轻手轻脚地走，不要让他们看到。然后，冲进去，献花、拥抱，让他们惊讶一下！"可是，前面领头的贝尔走到门口时，却放慢了脚步，回过头，将手指放在嘴前，"嘘……他们好像还在睡午觉。这样好了，我们还是悄悄地进去，把

1 猩红热：由 A 型链球菌所引起，会出现喉咙痛、草莓舌和皮疹的症状。皮疹通常出现在颈部、胸部、腋窝、手肘、腹股沟及大腿的内侧，会发痒。患者脸部会潮红，口部周围泛白。严重的感染常伴有高烧、恶心、呕吐。猩红热受到控制后，患者的手指、手掌、脚掌、脚趾尖及脚底会开始脱皮。感染猩红热一定要彻底治疗，否则可能引起急性风湿热、风湿性心脏病、急性肾丝球肾炎等疾病。

花插在花瓶里后，转身就离开，不要惊扰他们。”

大家都按照贝尔的指示做了，安安静静地回到车上。这时，沙利文老师在海伦·凯勒的掌心写下：“两位老人家坐在安乐椅上睡着了。”

海伦·凯勒则在老师的手心上回写：“我虽然没看到，但是屋子里的气氛很祥和，我相信他们睡得正沉、正舒服，而我现在才发现，贝尔先生是个孝顺的孩子！”

因为贝尔发明电话，跻身发明家的行列，因此有许多奇思异想的科学家朋友，常常到他家讨论、交换意见。

有几次，海伦·凯勒和沙利文老师打电话去他家：“贝尔博士，我们又路过你这儿了，我们……”

贝尔兴奋地打断她的话：“快过来！我家来了几个有趣的人，你们应该一起来听听！”

海伦·凯勒和沙利文老师踏进屋子时，满屋子都是口沫横飞的人，个个都抢着发表自己最新的实验与想法。海伦·凯勒虽然看不见、听不到，却可以感受到他们的热情。同时，她的手不时被拉起来，不是沙利文老师，就是贝尔先生，在她的手心快速地写出正在发表的议论。这些热情感染得海伦跟着心跳加快、满脸通红。

当然，席中也不乏想要提供给听障人士生活更便利的发明，或主张听障人士应该多采用“手语”的人。对这些发明，贝尔一定会花

心思彻底了解，以便确定它们真能提供方便性。

但是对于只用“手语”作为沟通工具，贝尔则不苟同。他坚持口语、读唇更好。他要现场的每个人想一想：“你们自己想想，当你在团体里，其中有两人的交谈全用手语，你一个手势也看不懂，心里做何感想？”

大家都默不作声；有人偷瞄一下贝尔的太太玛蓓尔或海伦·凯勒，有人就低下头去。

贝尔继续发表个人的主张：“大部分的人恐怕都会不愉快，与他们保持距离，就像离开话不投机的人一样。有些人甚至会歧视他们，拒绝和他们做朋友。这样一来，不仅我们失去一个认识朋友的好机会，也让听障人士只接受自己的团体，害怕与外界接触，进而丧失学习的机会。手语只会加深彼此的鸿沟！”

贝尔仿佛在捍卫基本人权一样，说得铿锵有力。

“然而，唇语却会激发人的善心。我个人见过许多次，大部分的人对于咬字不清的孩子、语音不标准的外国人，都很有耐心，竖尖耳朵专心倾听，甚至急着伸出援手，希望帮助那些人把语音说清楚、讲明白。听障人的处境也是一样，需要社会大众友善的帮助。听障人士越有勇气在人前发音说话，越有助于融入社会与团体，对学习更是大有帮助！”

这一番话虽然不能得到听障教育工作者的认同，社会大众也不关心，但是设身处地为听障人着想，贝尔一生从没忘记。虽然在历史上,他发明电话的光环远远超过推动听障教育的成就,然而,他多次在家人和朋友的面前语重心长地说:“致力于听障教育不会让我赚钱,别人也不会因此认识我。但是,能参与这项工作,让我有‘与有荣焉’的感觉,我真的认为这项工作比电话的发明重要多了!”

秉持着这样的理念,贝尔不仅是个著名的发明家,同时也是听障教育重要的推动者。

第三章 对现代通讯的贡献

发明对我来说，就像呼吸一样重要！

——贝尔名言录

随着科学发明的进步，人手一部移动电话，随处走动就可以和远方的人通讯，手机不仅能发挥紧急救难的即时功效，而且也让人们闲话家常更是方便。

然而，就在一百多年前，在电话尚未发明之前，谁能想到这么便捷的通讯工具？

在发明的过程中，贝尔向亲友争取研究经费，阅读前人的资料，东奔西跑向专家请教，听取学者的建议，并和华生不眠不休地测试，其中有许多不为人知的辛劳。即使电话发明之后，他们在各地推广，也未能即刻获得社会大众的认同。他们遭遇了许多困难，报章杂志还冷嘲热讽，把它视为妖魔鬼怪呢！

就当大家享受电话带来的便利时,美国国会却在2002年将电话发明权判归梅乌奇先生,令全球民众为之错愕。即使如此,多数民众仍坚决认定,超越时空的电话发明、“现代通讯之父”的荣耀,贝尔先生当之无愧!

第一节　早年的发明

所谓发明的灵感,不是天马行空的白日梦,而是累积经验得来的。

——贝尔名言录

时钟滴答滴答地走着,时间一分一秒地流逝。

贝尔假装思考,看着棋盘上的棋子,好像不知该走哪一步。其实,他是故意的。半个小时前,他就发现班·赫德曼——是对手也是好朋友——频频举头看时钟,显示他即将回家。可是,他们还没分出高下呢!

当——时钟长针走到数字六的地方,响起半点的那一声,班站起身。

贝尔发出惨叫声,试着挽留:“班,你可能会赢哎!下完这盘棋吧?”

班毅然决然地走到门口穿大衣。“艾力克,保留棋局,我们明天再战!”

贝尔知道挽留不住,黯然地看着班打开大门离去。下午欢乐的时光随着班离去,宛如夕阳沉入山后,大地失去温暖与光彩般,屋子

里也了无生趣。贝尔颓坐在椅子上，动也不想动。

这样的情况，在野外玩游戏时也常常发生。

牧童组和街童组分别占据两道石砌矮墙，相互怒吼、叫嚣，丢掷泥巴、挥舞木剑，战况剧烈，死伤惨重。

突然，班毫无预警地从躲藏的石墙后站起来，一块泥巴腾空飞过来，不偏不倚地打中他的膝盖。

牧童组欢呼起来：“阵亡！又阵亡一个！”

班挥动木剑，大喊：“暂停！我要回家了。”

两边的人马呼的一声，全从石墙后站起来，手上的木剑、泥巴滑落地上，七嘴八舌：“为什么？”

“我们还没分出胜负呢！”

“不能换你们当可恶的维京海盗，你就不玩呀！”

“时间还早吧！”

“对啊！太阳还高挂在天空呢！”

班拍去膝盖上的泥巴块，坚定地回答：“我现在就得回去帮忙，我爸爸才可以早点休息！”

虽然他边走还边回头和大家挥手，祝大家玩得愉快，但是，少了他，大伙儿都玩得不起劲了。

类似的情形实在太多了，有些玩伴主张，根本不要找班一起来玩游戏。可是班是个好伙伴，不管分到哪一组都尽心尽力，不会抱怨，不会赖皮，配合度很高，吆喝助阵声最大。当首领的人挑选组员时，第一个就挑选他。而且有他参加，游戏变得有趣多了！

所以这一天，贝尔实在无法忍受了，他也随着班离开游戏的地方。

“班，为什么你要在玩得正高兴的时候离开呢？”

班抬头看看天空：“我得回家帮爸爸的忙。太晚了，我爸爸会很辛苦。”

“到底是帮什么忙？”贝尔也抬头看看斜挂在天空中的太阳，不能理解，“你是小孩子，能帮什么忙？”

班停住脚步，看着贝尔：“艾力克，你知道我们家是做什么的吧！”

“磨坊啊！”贝尔认为班真是莫名奇妙，“你爸将麦子磨成面粉，供应给街上的面包店，还有我们大家。”

“没错。”班迈步往前走，“所以我要回去帮我爸磨面粉、去麦壳。”

贝尔追上去。“为什么还要你帮忙？磨坊里不是有个大水车，水流带动水车的桨叶，桨叶的力量又带动齿轮去推动大石磨，就能将麦子磨成面粉了。你根本推不动石磨啊！”

贝尔去过赫德曼家的磨坊，大水车、大齿轮、大石磨……在十二岁的贝尔眼中，磨坊里每部机械都出奇得大，连声音都大得“震耳欲聋”。

班疾步往前走。“我是推不动石磨！那个工作我也不必做，我做的是去麦壳。”

“去麦壳有什么难的！不过就是把麦壳拿掉而已。”

“如果没有帮手就难了!”班再次停住脚步,严肃地瞪着贝尔,“你去过我家的磨坊,知道我家的磨坊供应镇上大部分的面粉。为了让大家有面包可以吃,水车、石磨整天转个不停,磨出许多的面粉。有些居民很挑嘴,不吃掺有麦壳的面粉,我爸妈得花许多时间,在昏暗的灯光下筛出麦壳,眼睛都累坏了。我的眼睛还好,可以帮他们省下一些时间,让他们早点休息。”

原来,班是个孝顺的孩子。贝尔误会他了。

贝尔还是很好奇:“难道没有机器可以帮忙做这件事吗?要不然,早晚你的眼睛也会跟着坏了。”

“没有。市面上还没有这样的机器。但是我爸会帮忙把面粉抬到靠近门口的地方,趁着天光还亮的时候来筛,比较不伤眼睛。这也是为什么每次我都要先走的原因。”班转身快走,“天色要暗了,我得快点,要不然我爸要担心了。”

贝尔打定主意:“我跟你去看看。也许,我们可以一起想出一个省时省力的好办法!”

难怪贝尔要这么想,因为就他所学到的知识,他知道这世界上有许多事情已经由机器取代人力了!

就以蒸汽机来说,早在公元1712年,托马斯·纽克曼就发明了首部蒸汽机,开启了大家认识机械动力的视野。到了1765年,经过詹姆斯·瓦特的创新改良,冷凝式蒸汽机正式问世,成为许多大型机械的动力,正式揭开工业革命的序幕。因此,工厂的烟囱一根根地竖立起来。1769年,库格纳特利用瓦特的发明,研发出利用蒸汽驱动的牵引机,宽阔广大的田野上开始见到农业机械的踪影。同年,阿克莱特也发明了利用水力来纺纱的机械,节省了许多妇女的力气。

既然农业牵引机、水力纺纱机都已经出现,磨麦去壳机怎么会无人研究发明呢?如果能有这种机械装置,大家每天都要吃的面粉,不就可以顺利地生产了吗?

贝尔一边快步朝赫德曼家的磨坊走去,一边快速地构思,进入磨坊后,他要观察哪些细节。

班对贝尔仔细叮咛安全事项后,转身去帮赫德曼先生的忙,留下贝尔在磨坊里到处转悠。

跟记忆中的一样,赫德曼家的磨坊几年来没有改变:强大的水流顺着渠道哗啦哗啦地奔流,冲入做成槽状的水车桨叶内,因为重力的关系,水车因此转动,带动了齿轮,齿轮又推动石磨碾磨麦子,磨出混着麦壳的面粉。虽然磨坊很大,但水流声、水车转动声、齿轮摩擦声和石磨互磨声仍交织成巨大的声浪,撞击着耳膜,对声音特别敏感的贝尔不得不用手指塞住耳朵。

贝尔捂着耳朵,顺着这一道道程序,走到碾出面粉的终点,看到班在微弱的光线下,努力筛出麦壳,或快速挑拣出不慎掉入面粉中的麦壳。

贝尔先在旁边观察,只见班舀一勺带壳面粉,倒进一个有着细

密网眼的筛子，双臂摇晃筛子，无壳的面粉就掉落在下面的容器中，麦壳则留在筛子上。看过班的操作，贝尔要班让他试试看。只是摇不到十下，贝尔就觉得两臂酸痛，无法继续。

这段时间，赫德曼先生则忙得像个陀螺，不时地检查水车、齿轮的状况，还得随时注意麦子掉入石磨的流量。经过贝尔和班的身旁时，还不忘对他们竖起大拇指，鼓励他们。

看到赫德曼父子这么辛苦地工作，那天晚上回到家里，贝尔每咬一口面包，就在心里感谢赫德曼家，若不是有他们，哪里能吃到这么好吃的面包呢！同时，他没忘记要找出解决办法的承诺。

接下来的日子，贝尔只要有空闲的时间，就制作去麦壳的机器。他先完成一组小模型，手工舀水推动水车，带动齿轮，再推动他的模型。几次实验有了不错的效果。

于是，他又去了几次赫德曼家的磨坊，带着纸、笔和尺，实际记录水车、水道、齿轮和石磨的尺寸、长度，回家后又画出比例图，一次次地修改。

这一天，正式组装去麦壳机械的日子来临了。赫德曼先生关上水闸门，停下水车，接着齿轮、石磨也停了下来，偌大的磨坊出现了从没有过的安静。贝尔指挥赫德曼父子组装器械的号令声还会发出回音呢！

从早上忙到太阳落山，去麦壳机终于完成了。赫德曼先生小心翼翼地打开水闸门，启动水车，就跟往常一样，哗啦啦、轰隆隆、吭唧吭唧、浙浙唰唰……所有的机械开始演出声音大合奏。但是贝尔和赫德曼父子仿佛没听到这些噪音，眼睛追逐着水流、转动的水车、滚动的齿轮、打转的石磨。与此同时，水车桨叶也带动另一组脚踏板，由皮带将碾磨过的带壳面粉送到针刷前，针刷将颗粒状的麦壳挡下来，只让细细的面粉掉进终点的大桶子里。

当面粉倾泻而下时，赫德曼父子迫不及待地伸出手，让面粉流泻过他们的手掌，再举起手掌仔细看，欢呼了起来。

“成功了！麦壳被筛掉了！”

“艾力克，你成功了！谢谢你！”

贝尔和班高兴地拥抱大叫，相互捶打肩膀，跳起苏格兰舞。赫德曼先生也感动得泪流满面。

为了谢谢贝尔，也鼓励他继续研究发明解决生活难题的机器，赫德曼先生提供了磨坊附近的一间小房子，作为贝尔和班的“发明工作室”。

那一年，贝尔还住在苏格兰的爱丁堡，是个十一二岁的少年，就利用所知的科学知识制造了一个去麦壳的机器，解决了赫德曼父子头痛的问题。

有了去麦壳机器的经验，加上在伦敦参观过惠斯通教授的说话机，回到爱丁堡后，贝尔兴致勃勃地也想自己制作一架说话机。

经过贝尔仔细的解说，他们兄弟三人像捡垃圾的人一样，在街角

的垃圾箱里、乡村小路上，到处翻拣、收集材料，并且经过试验，最后完成了一架用木头、橡胶[1]、羊骨等材料组合而成的说话机。

为了使说话机的外表不太吓人，他们利用布条缠绕羊骨，美化成一个人的头型。又为了让它容易操作，除了保留眼洞，他们还在原来嘴巴的位置用橡胶做出嘴唇，希望唇形也有助于发音。这架说话机摆放在木头支架上，就像一个人的头骨模型，没有心理准备的人，乍看之下还真会吓一跳呢！

完成之后，他们躲在房间内试了又试，直到他们发现竟然可以利用吹气，让机器发出类似"妈妈" 的说话声。三个人高兴地相互击掌，庆贺成功！

从此以后，只要在家，他们没事就往"头骨说话机" 里吹气，让它不断地叫"妈妈"。幸好妈妈听力受损，无法听到，否则一天真不知道要到他们房里几百次！倒是父亲被惹烦了，上楼来一探究竟，同时也引来热心的邻居过来关注。大家看到这架说话机，虽然被吓了一跳，但是听到它所发出的声音，全都忍不住哈哈大笑起来，并且要贝尔兄弟赶紧去拿牛奶喂它喝呢！

---

1 橡胶：根据象形文字的记录，人类在很早以前就会使用橡胶。1770 年，英国的约瑟夫·普里斯特利正式发明"橡皮擦"。

1839 年，美国的查理·固特异因为实验不小心，竟然发明了"硬化橡胶"，因而促成了现代世界最大工业之一——"橡胶产业"。目前，轮胎、鞋底、雨靴，甚至登陆月球的采石小推车的轮胎，都是橡胶制品。

几年后，贝尔因为兄弟感染肺结核过世，随着父母举家迁离英国，在加拿大短暂停留，又搬到美国波士顿。搬家的辛苦及适应新环境，让他的发明暂停了一段时日。

1873 年，他应聘波士顿大学[1] 教授，积极培训学生，参与推动听障教育，并对造成听障的原因产生极大的兴趣。因为曾在伦敦大学主修过解剖学，对人体的构造有基本的认识，知道人之所以能够听到声音，是因为声波造成耳膜的振动，振动再通过神经的传输送到大脑，由大脑解读讯息，人类因而才有听觉。但当时的他无从知道，有听觉障碍的人到底有没有耳膜，还是耳膜无法振动，耳膜该如何振动才能听到声音……千百个问题不断地在他脑子里浮现，而他最终的目的，是希望能找到方法，帮助解决听障人士的听力问题。

在授课之余，他那爱发明的特质，又在内心不断地怂恿、催促他，快快找出解决的方法。经过一段时间的数据与材料收集，他做出一台“声波记振仪”。

“声波记振仪” 的配备是：一只死人的耳朵（关于耳朵的来历与提供者，贝尔坚持不透露）、一只铝制的漏斗、一根坚韧的干草和一块熏满烟灰的玻璃。操作时，漏斗会插进耳朵里，轻轻接触着耳膜。耳朵的另一边则接着干草。这一组配备会悬吊在烟灰玻璃的上方，干草正好碰到玻璃。

---

1 波士顿大学（Boston University）：于 1839 年由美国卫理公会所创办的神学院，几经迁校，现为知名的私立大学，没有医学院。

当一切准备就绪后，贝尔对着漏斗大声喊叫。因为声音的波动，耳膜会像活的一样，产生振动，拉扯干草，干草因此在烟灰玻璃上留下颤动的痕迹，仿佛有人在上面写字。

虽然大部分的人（尤其是女生），无法接受用死人的耳朵来发明器具，但每次实验时，看到干草颤动的痕迹，贝尔总是忍不住兴奋地又蹦又跳："瞧！我的声音被看见了！"

虽然这个发明并没对听障人士有帮助[1]，却在两三年后，促成贝尔发明电话，让世界进入一个崭新的通讯时代。

第二节　研发多路电报

一般人只会梦想，而发明家则会试着去实现它！

——贝尔名言录

屋子里传来乒乒乓乓的跑步声，夹杂着呼喊声，惹得屋外的路

1　有些人误以为助听器是贝尔发明的，但根据资料，贝尔并未因"声波记振仪"而发明助听器。

助听器其实是由米勒·利兹·哈辛斯所研发。1898 年，他第一次向公众展示了电助听器：座台式，由碳粉传声器、三对磁性耳机和一组电池组成，取名为 AKOULALLION（希腊语"听"、"说"之意）。因为它的展示，促使多家公司开始生产助听器。碳粉助听器经过后续的改良，体积不断缩小，于 1930 年出现带有骨导振动器（振子）的助听器。现代则有更先进的电子耳帮助听障人士。

人忍不住停下脚步,好奇地竖起耳朵,多事的人还靠前向附近的邻居打探。

“发生了什么事,喊得那么大声?”

邻居耸耸肩膀:“常常发生,我们已经见怪不怪了!”

路人露出讶异的表情:“常常发生?你们怎么受得了!”

邻居瞥一眼那间屋子:“没办法呀!大家都是邻居嘛。原来也是有头有脸的人,很受大家尊重呢!”

路人随着看了一眼:“原来是做什么的……”

“贝尔先生原来是波士顿大学的教授,很年轻哪!才二十六岁。”

路人倒抽一口气,“波士顿大学的教授!了不起呢!”

“从英国爱丁堡搬来的,听说先前在聋哑学校当老师,教听障人士学习如何开口说话,大受欢迎。第二年就创办了自己的语言学校,使用他自己研发的教材《可见式语言导论》,训练老师去帮助听障儿童。不到一年的功夫,波士顿大学就聘请他为‘声音生理学’的教授。我猜,他应该是最年轻的教授。也许有些学生的年纪比他还大呢!”

路人听了,摇摇头,一副惋惜的模样:“有这么一份好工作不做,却不晓得在搞什么,不会是疯了吧?”

邻居再次耸耸肩膀:“应该是没疯啦!听说是在做实验!我们只求不闹出火灾就好啦!”

这些人带着满头的问号离开了,他们哪里知道,屋内的贝尔,“发明”的念头已经成为他呼吸的一部分,而他的发明也即将改变全

世界……

却说，波士顿是美国东部重要的国际贸易港口，地理位置濒临大西洋，气候明显受到海洋的影响，变化迅速，夏季炎热潮湿，冬季寒冷且多风多雪。虽然如此，贝尔令父母亲担心的肺结核却好像被赶走了，身体慢慢好转。他热心积极地教导听障学生，好运气接踵而至。他不仅自己创办聋哑学校，培训老师，还被波士顿大学聘为教授。

而波士顿的文化气息，和爱丁堡、伦敦很不相同。波士顿被誉为“美国雅典”，有多所大学，上万名的大学生在这里接受教育。其中有古老的哈佛大学[1]与刚刚创建不久的麻省理工学院[2]。它们对于提升波士顿的学术气息有很大的帮助。因此，走在波士顿街区，迎面而来的不是抱着书、衣角飘扬、匆匆赶去上课的大学生，就是比手画脚、相互争辩讨论的学者，直接、间接地刺激了大家的学习欲望。

正值年轻、体力又好的贝尔，不管坐在家里，或走在街上，每天都

---

1 哈佛大学（Harvard University）：是美国最著名与古老的高等学府之一，于1636年9月8日创立。初期只有九个学生（有一说为十二个学生）、一位男教师。成立的第一天，学校的理念就定位为：以提供一流的学术、理论教学为目的。该校校名是来自第一位捐赠者——清教牧师约翰·哈佛。

2 麻省理工学院（MIT）：于1861年由著名的自然科学家威廉·巴顿·罗杰斯创立。1865—1916年间名为“波士顿理工学院”。当年，创办人罗杰斯希望能创建一所风气自由的学院，来帮助正快速发展的美国工业与科技。但由于南北战争，直到1865年MIT才正式接收第一批学生。目前，MIT是美国最好的理工大学之一。

可以接收到世界传来的各种新鲜讯息和新事物，它们通过往来频繁的国际贸易船只如潮水般地涌进来。

就以脚踏车来说吧！

贝尔小时候就听爷爷说过，初期出现在街道的脚踏车，是以木条衔接前小后大的两个车轮，中间有个木头鞍座，但没有踏板，骑士必须用脚蹬着地面往前滑行。如果要停下来，当然也是用脚使力撑住。所以要是遇到下坡路段，控制不了，就会险象环生，教路人也为他捏把冷汗呢！

贝尔还记得，精于演讲术的爷爷，唱作俱佳地表演着脚踏车不受控制，一路往前滑行的恐怖景象，可把他们兄弟三人都笑翻了。

然而，即使这么不方便，脚踏车当时还是风靡了欧洲，英国人昵称它为“木马”或“时髦马”呢！

后来，贝尔十几岁时在爱丁堡街上看到的脚踏车，已经由苏格兰铁匠麦克米兰改良，加装了曲拐[1]和脚踏板，骑车的人可以踩着脚踏板，转动链条，让车子前进，不再靠人的脚掌磨蹭地面来移动车子。脚踏板装置在后轮上，前轮上方附有一个座位可以载人。当时，这个时髦的玩意儿只有年轻人敢骑，他们让漂亮的姑娘坐在前轮上方的座位上，在大街上按着铃铛，加上女孩的尖叫声，风光地来来去去，非常引人注目。尤其是贝尔，他总是看得目瞪口呆，直到他们消失在

---

1 曲拐：脚踏车的前后轮中间以“扣链齿轮”和链条连接。“扣链齿轮”有两个，前大后小；大齿轮中轴有呈Z字形的曲拐，曲拐两端做成脚踏板。

视线外，才回头做自己的事。

等他们全家搬到伦敦，贝尔又见识到更新型的脚踏车；前轮大，后轮小，是由法国人拉乐蒙改良的，推动轮子前进的曲拐移到前轮，而且正式定名为“脚踏车”。

这时的贝尔已经是大学生了，他喜欢冒险，也喜欢尝试新事物，看到走在时代前端的同学，竟然有人骑脚踏车来上学，不免心痒地借来体验体验。

身手矫健的贝尔很快就学会了平衡，可以骑绕校区石板路。但他骑完一圈后，却龇牙咧嘴地把车子还给了同学。

“难怪大家叫它‘震骨机’！”贝尔一手摸着下巴，一手揉着屁股。

“习惯就好啦！”同学笑着把脚踏车推去靠墙放。

其他同学则打闹地问：“很有趣的体验吧！”

贝尔大叫：“一定要好好再改良啦！否则牙齿相撞，骨头散开，屁股也颠疼了！”

果真，在美国波士顿，贝尔看到了最新改良的脚踏车。新出品的的脚踏车不再被称为“震骨机”了，因为轮辐已经由铁丝取代，轮子也加装了橡皮轮胎，骑在路面上，再也不会听到有人下巴差点被震掉的笑话。

不过，教人失望的是，法国人拉乐蒙已经在美国申请到脚踏车的专利，所以即使贝尔对发明脚踏车很有兴趣，也没有机会了。

虽然如此，贝尔对部分骑脚踏车传递讯息的信差却产生了极大的兴趣。这些信差不再只是传递城内办公室之间的讯息，他们手上握着电报，递送的是从地球另一端传来的新讯息。

几次，贝尔站在街角，看着繁忙的信差在他眼前穿梭、飞奔，不禁对电报产生了好奇。他去图书馆查数据，认真仔细地研究电报，详细地在札记中记下记录。

他的札记这样写着："这是一个发明的时代，到处都是发明家，而且自从1844年5月24日电报[1]正式开通以后，大家都在发明电报！

"想想看，那是多神奇的事，摩尔斯[2]竟然可以在四万五千分之一秒内，让电文通过电报线在华盛顿和巴尔的摩间来回传送。也因为他伟大的发明，1850年，英国和法国之间架设了海底电缆。1868年，德国西门子公司开始架设从普鲁士到俄国，以及从伊朗到印度的电报线。1872年，横越大西洋的海底电缆也铺设完成。哇！电报已经成了重要的传讯方式，到目前为止，全世界几乎都建立了摩尔斯式的电报设备。

---

1 拍发电报的原理：电报是借由电子讯号将讯息通过电流传送到远处。发报员经由按压发报机的电键，形成接通、关闭电路的状态，发出讯号。而按压的次数或长短代表固定的密码，密码又各自代表字母。因此，受信的电报局须将密码翻译出来，才能送达收信者的手中。

2 摩尔斯（1791—1872），全名为萨缪尔·芬利·布里斯·摩尔斯，美国发明家，也是出色的画家，摩尔斯电码的创立者。他于1832年航海时，遇到电磁学家查尔斯·托马斯·杰克逊，亲眼目睹杰克逊做的电磁体实验，因而引发他开发电报。他所发明的第一代电报机现在存放于巴黎卢浮宫的卢浮画廊。

“只是……一条电报线一次只能传送一则讯息。要是两座城市间只有一条电报线，大家就得排队才能传送讯息。这样的难题该如何解决呢？”

贝尔的脑子整天想着这件事情，每冒出一个新点子，他就随手记录下来。所以手札里很快地加上了一条：“解决方法之一，架设更多的电报线！”

过两天，他推翻了原来的想法，写下另一个想法：“架设更多电报线的方法不可行，因为天空可能全被电报线遮蔽，就无法欣赏美丽的大自然了。而且要是遇到房子阻碍怎么办？挖开吗？这个方法不可行！”

又过了三天，手札里再度增加：“铺设更多电报线的方法完全不可行！因为太贵了！铺设的人工费用加上电报线、电线杆的原料费用，没有人愿意出这个钱……”

半个月后，他高兴地写下：“为什么不能在同一条电报线中，同时传送多条讯息呢？这个方法一定可以行得通！我相信，如果能这样做，既省钱又迅速，一定可以行得通！”

且不管这个点子行得通还是行不通，基于法国人拉乐蒙专利注册的经验，贝尔立刻去美国专利局注册登记，登记名为“多路电报”（又名“谐波电报”）。

会有这个想法，其实跟贝尔的音乐素养大有关系！

贝尔以前就有类似的经验：有人在客厅弹钢琴，某几个音不仅会让音叉振动，还会让听众的耳朵嗡嗡作响，甚至会让桌上的玻璃杯轻轻碰撞，发出叮当声。大家还传言，歌剧演唱家利用胸腔的共鸣唱到某一个高音，还会震破玻璃杯呢！这些现象，贝尔后来读取科学数据时知道了，称为“共振现象”，是一种再自然也不过的现象，因为只要在自然界，大家的频率相同，一定会产生共振。

基于共振的原理，贝尔想知道，如果不是声波，而利用电流振动，可不可以也让一组音叉产生共振？他之所以想做如此的尝试，是因为他从事多年的语音教学，加上歌剧演唱家的传言，他深深了解，声带振动产生的声波，和电流振动所产生的电波，应该会产生类似的频率。

因此，他试着同时发出几个频率不同的信号，观察音叉是否能对不同的频率做出反应。

只可惜，贝尔的演讲术和教学都很厉害，做实验可不行。音叉没有反应，他怀疑是音叉太厚重的关系，所以他改以轻巧的簧片取代音叉。只是，实验还是没有任何的进展。

他失望地在札记里写下：

“理论上，我相信利用电流可以传送语音。因为语音是由多种频率组成的，只要我有够多的簧片来当接收器，捕捉每一种语音的频率，嗯……也许我就有电流传送的话音，简称为‘电话’好了！”

这是贝尔最初的电话构想。

然而，当时他满脑子想的是，如何解决一条电报线可以传送多则讯息的“多路电报”。“电话”的点子暂时被搁置在脑后，只是“多路

电报”的实验一直无法达到理想，加上华生意外的一巴掌，他才专注于电话研发而改变了世界的通讯方式。

正确地说，若没有“多路电报”的想法，加上不断的实验，哪有“电话”的发明！

第三节　争取研发资金

成功的机会不会凭空而降，而是因为我们准备好了！

——贝尔名言录

虽然贝尔一头钻进研究发明的工作，但他还是想办法挤出时间约会。

他约会的对象是面貌姣好、身材修长的玛蓓尔·哈伯特[1]。

玛蓓尔因为得过猩红热而听力受损，曾经是贝尔的学生。也因为贝尔可见式语音的教学，玛蓓尔可听可说，曾经抑郁阴沉的脸庞，现在散发着年轻的热情与信心。玛蓓尔的改变，让她的父亲加迪尔·哈伯特[2]先生非常满意，对贝尔追求女儿的事没有多加阻挠，甚至

1 玛蓓尔·格雷汉姆·哈伯特（1857—1923），十九岁和贝尔结婚，婚后育有四名子女。

2 加迪尔·哈伯特（1822—1897），美国律师、理财专家及慈善家，后来成为贝尔电话公司的股东，曾被任命为国家地理学会的第一任会长。

还视它为一件值得骄傲的事呢！

哈伯特先生事业成功，家境富裕，交友广阔。一到晚上，豪华客厅里总是坐满宾客；男士端着酒，比手画脚、高谈阔论着世界的局势，不管是政治或经济，每个人都有一套自己的看法，有时还因此争得面红耳赤；女士则穿着花边繁多的蓬蓬裙，摇着精致的小扇子，七嘴八舌地聊着欧洲巴黎流行的新款服饰，谁家姑娘开始参加社交活动，哪个富家子弟筹办豪华婚礼，节日庆典该准备哪些好吃的点心……

多数时候，贝尔会加入男士的阵容，跟着点头附和一番，但其实他心里认为，这种没主题的聊天，简直是浪费时间。

这一天，另一个学生的家长托马斯·桑德士也参加了晚上的聚会。

桑德士先生也是一个成功的商人，几年前听闻贝尔"可见式语音教学法"，特地将听障儿子交到贝尔手上。儿子的进步的确也让他非常开心，所以他很看好贝尔，认为他是有为的年轻人。

机不可失！

贝尔看了一眼摆在角落的钢琴，决定今天放手一搏。

他敲敲高脚玻璃杯，引起大家的注意后，坐上琴凳，大声说："各位女士、先生，今天大家的心情很好，我来提供一个余兴节目。"

哈伯特先生第一个大声鼓掌，鼓励着："年轻人，有什么绝活，尽管使出来！"

贝尔挺直背脊，"我不必触碰琴键，就可以让钢琴发出声音！"

哈伯特先生差点没把嘴里的雪茄喷出来。"年轻人，过去我很信

任你，认为你是个脚踏实地的人。但是，这次你的牛皮未免吹得太大了!”

桑德士先生则靠着壁炉，看着，没有说话。

贝尔很正经：“哈伯特先生，我没吹牛。我真的可以做到。”

原以为他在开玩笑，但看他严肃的模样，又不像是闹着玩，大家互相看来看去，不知道该拍手还是该发出嘘声，只有玛蓓尔紧张得为他揪紧手帕。

哈伯特先生把雪茄从嘴里拿下来，转头看看大家，清清喉咙，打破僵局：“这可是你自找的。年轻人，我倒要看看你是怎么做到的!”

贝尔挺直上身，手放在膝盖上，张开嘴巴，利用声带与胸腔的共鸣，慢慢发出几个单音，接着唱起歌来。

果真，钢琴弦振动起来，发出声音。

立刻，大家挤到钢琴旁，七嘴八舌。

“太不可思议了!”

“你的手确实没碰到琴键?”

“脚呢?脚没有偷踢钢琴吧?”

“再来一次!再做一次!”

……

玛蓓尔的脸上则露出如释重负混合着骄傲的表情。

桑德士先生则轻轻地绕着钢琴走了一圈，探头看看钢琴弦。

哈伯特先生手上的雪茄在空中比画：“的确了不起，年轻人，告诉我，你是怎么办到的？是魔术吗？”

“不是魔术！”贝尔笑了起来，“其实是大自然早已存在的原理！”

“大自然早已存在的原理？”哈伯特先生充满兴趣，“说来听听。”

贝尔尽量使用简单的词汇，解释了“共振”的原理。

桑德士先生则回到壁炉边，仔细听着。

听完贝尔的解释，宾客中有人点头同意：“听说，那些有名的歌剧演唱家，还可以把玻璃杯震碎呢！应该就是同一个道理吧！”

贝尔注意着哈伯特先生和桑德士先生的表情。

成功在望，再加把劲！

“哈伯特先生，因为这个原理，我有了一个赚钱的点子。”

哈伯特先生坐上大沙发，用手势示意要贝尔继续说下去：“有意思！说来听听。”

于是，贝尔把“多路电报”的点子说了出来。

听完贝尔的说明，哈伯特先生摸摸下巴，思索着，开口再问：“这么说，你已经开始进行这项发明了？遇到什么问题？”

“正确地说，我已经去专利局注册登记了。”贝尔站得直直的，眼睛把所有的人看过一遍，“我缺乏研究基金。”

“没问题！”哈伯特先生非常爽快，站起身，走到贝尔身旁，伸出手，“研究经费你不必担心，尽管放手去做。”

桑德士先生也伸出他的右手：“我也可以助你一臂之力！”

贝尔伸出双手，紧紧握住他们的手，眼眶一阵发热，声音有些哽

咽:“谢谢你们,两位先生!”

贝尔露了这一手,取得哈伯特和桑德士两位先生的支持,得到一笔可观的研究经费,桑德士先生甚至拨出一个房间,让贝尔无后顾之忧,专心地投入发明电话的工作。

后来成为贝尔岳父的哈伯特先生,和成为合伙人的桑德士先生,在电话发明成功之后,又一起成立“贝尔电话公司”,于有生之年都一直支持贝尔的发明工作。

第四节　伟大学者的鼓励

放手去做吧!不要让挫折击败你!

——亨利博士对贝尔的鼓励

俗话说,有钱能使鬼推磨,意思是:有了钱,什么事都容易做了!

真是如此吗?

贝尔可不这么认为!

虽然有了哈伯特和桑德士两位先生的资金赞助,但以贝尔所知的电学概念,意图有具体的发明,显然还有一段遥远的距离。因此经过无数次的实验,“多路电报”的研发一直在原地踏步,几乎没有任何的进展,倒是簧片的共振大有斩获。

之前，他已经知道声波振动簧片的“共振现象”。为了“多路电报”，他想进一步了解，如果在簧片后面摆一块绕有电线的磁铁，通过“共振现象”，振动的簧片是否可以产生像声波一样忽大忽小的电流；如果再把这些波动的电流传到另一块磁铁上，是不是可以还原成声波。

之所以会这么想，是他在寻找数据的过程中，查到约在1860年左右，德国有位叫莱斯[1]的发明家，曾经成功地利用电流传送一段音乐旋律，当时莱斯就为这个装置取名“telephone”。

贝尔高兴得差点在图书馆里大叫大嚷起来：“我就说嘛，一定行得通！莱斯证明它是可行的！”

他又抱来往后几个月的报纸，仔细查阅每一个版面，只是，资料仅止于此，完全没有后续的相关报导。

“相信莱斯一定还没发明出电话！”贝尔安慰自己，“但是他已经证明可行，我只要跟随他的脚步前进就可以了！”

他信心满满地捧着这份数据去请教电学专家。没想到，这些电学专家听完贝尔的想法，反应全是：

“小伙子，你是吃饱没事干，拿我们开玩笑吗？”

“报纸上写的事，你能相信吗？”

---

1 约翰·菲利普·莱斯（1834—1874），德国的天才发明家，在1860年制造出奇怪形状的电话机。送话器是以木头刻成人耳形状，用猪肠膜代替鼓膜。受话器则是用小提琴的弦装上缝衣针。

莱斯后来继续改良电话，但均未被社会接受。年轻的他在贝尔完成电话发明的前两年因病去世。

“哈哈哈……这是痴人说梦话!完全不符合电学的原理啊!”

“你原来是学什么的?声音生理学!那你碰电学干什么?你不是那块料!”

……

最后,他们拍拍贝尔的肩膀:“小伙子,多读几本《电学入门》之类的书吧!电学可不是什么电线绕磁铁那些简单的玩意儿。别搞这些了,还是回去当你的声音学教授吧!”

这些嘲笑让贝尔很难过,甚至产生了严重的挫折感,让他一度想放弃了。但他在深夜辗转难眠时,突然忆起哈伯特和桑德士两位先生鼓励的眼神,他搓搓自己的手,甚至可以感觉到当时他们与他握手时的手劲与温度。如果他现在就放弃,他们应该会很失望吧!

于是他鼓起勇气,决定前往华盛顿特区,拜访电学权威约瑟夫·亨利[1]。亨利博士是美国史密森学会[2]的首任会长,也是继电器[3]的

1 约瑟夫·亨利(1797—1878),自幼丧父,早年的知识全靠自修学得。1831 年,他做出举世闻名的电磁学研究,从电磁铁研究中发现自感现象,因此被认为是现代马达原理的发现者。

2 史密森学会:美国一系列博物馆和研究机构的集合组织,包含十九个博物馆、九个研究中心、数个美术馆、国家动物园及无数件艺术品及标本。最早是英国的詹姆斯·史密森对美国政府的遗赠。目前是美国唯一一所由政府赞助、半官方的第三部门博物馆。此学会所属的相关机构,除了圣诞假期,全年免费对大众开放。

3 继电器:继电器的原理是以小电流激发线圈,产生磁场,进而导通接点而拉动大电流,例如,使用直流 24 伏特的电压去激发线圈,驱动交流 110 伏特的电压。最大优点是——绝对的隔离效果。

发明人，早年曾与电学大师法拉第[1]各自发现了电磁感应现象。

1875年3月，春天才刚刚拜访北美地区，正在慢慢融化的积雪把街道弄得泥泞不堪，加上不时飘来的春雨，寒意透入筋骨。

贝尔摸黑起床，赶搭波士顿最早班的火车，直奔华盛顿特区。抵达时已过中午，但为了争取时间，他连午餐也来不及吃，立刻跳上马车又赶往亨利博士家。只是七十五岁的老博士已经午休了，贝尔只好站在门外等候。两个小时后，老博士出来开门时，贝尔已经衣服湿透，冷得浑身打战。

老博士坐在火炉前，听贝尔介绍他的构想。老博士注意到，眼前的年轻人不纯然是因为身体温暖而脸颊通红，应该更是因为他对发明的执着与热情，而他所叙述的语言，字字铿锵有力。这份热情也感染了老博士，让他回想起自己年轻时得到的帮助与鼓励。

所以，最后当贝尔小心翼翼地请教："亨利博士，您认为这个构想可行吗？而……我该自己执行呢，还是交给专业人士去完成？"

老博士站起来，用力拍拍贝尔的肩膀，诚挚地回答："贝尔先生，我早就听闻你们家族对社会的贡献。而此刻你的热诚与发明理想，更是深深感动我。放手去做吧！不要让挫折击败你！"

---

1 迈克尔·法拉第(1791—1867)，英国物理学家。发现了电磁感应、抗磁性及电解，也发现磁场能对光线产生影响。此外还发明了一种依电磁转动的装置，是现代电动机的前身。至于化学中常用的阴极、阳极、电极和离子等专有名词，也是由他推广给世人而广泛使用的。

走出老博士的家，贝尔一点儿也不觉得寒冷了。虽然，一整天来回奔波，回到波士顿也已经夜深，他却完全没有睡意。

点起灯，他兴奋地在手札里写下：

“要永远记住亨利博士的鼓励！而且，要学习亨利博士，随时鼓励年轻人，为实现自己的理想而努力！”

第五节　狠狠的那一记

记住观察所得，并穷究事理，成功就有希望！

——贝尔名言录

为了不辜负亨利博士的鼓励，也为了坚持理想并完成研究发明，贝尔从研究基金里拨出一部分的钱，当成薪水，找了一位学有专长的助手。

于是，十八岁、热诚的电工技师托马斯·华生走入了贝尔的生命，成为研究发明的道路上无可取代的重要伙伴。

华生对贝尔的研究发明充满兴趣，而且不怕吃苦，不计较酬劳。

他们的研究室坐落于波士顿柯特大街109号。这里原来是废弃多年的马车棚，泥巴地面，积满尘土，夏天闷热，冬天寒冷，大家避之唯恐不及，两人却视之为天堂。他们利用买来的材料与自己组装的仪器，把木板墙的缝隙堵住，产生良好的隔音效果，在里面不眠不休地工作。

与华生合作的初期，贝尔将主要精力摆在“多路电报”的研发上，仍用簧片做实验。他和华生分开在两个房间测试，一个人在第一个房间，负责以电线发送电流使簧片振动，另一个人则在第二个房间负责监看另一组簧片有没有因为电流的传送而产生共振。

只是，不晓得什么原因，那些簧片老是会卡住，必须用手拨动才能顺利运作。

1875 年 6 月的某一天，簧片又卡住了，华生气急败坏地、狠狠地敲了一记簧片。

贝尔立刻像风一样地冲进来，嘴里大喊：“华生，你做了什么？”

“我……我……”华生不知道该不该说实话。

“快说，你刚刚做了什么？”贝尔催促着。

“我……敲了一下簧片……”

“再做一次！”贝尔又像风一样，冲回自己的房间。

华生小心翼翼、轻轻地敲了一下。

贝尔探出半个头：“敲了吗？”

华生点点头。

贝尔大吼起来：“要像刚刚那一次一样！”

回想刚刚的情景，华生又狠狠地敲了一记！

贝尔冲回来，抱住华生又叫又跳：“我的簧片接收到了！它们接收到了！”

华生虽然也感染了贝尔的兴奋,却是莫名奇妙。

“看到没! 看到没!” 贝尔的手指向电流开关,“电流关着,另一头的簧片竟然跟着跳动了!”

这会儿,连华生的眼睛也跟着闪动兴奋的光辉。

没有电流,是什么让簧片跳动?

他们俩凑着头,仔细研究,拼凑出一个结论:簧片残存着以前的磁力,因为敲击的振动,产生微弱的电流。电流虽然微弱,却足以传送到另一个房间的簧片上,并产生共振。

贝尔对这个结论很满意:“这就跟我们在某一个房间里按了一个钢琴键,另一个房间的吉他弦跟着响起来的道理一样。只不过……” 他摸摸下巴,思索了一下,“只不过这种现象是电磁造成的,不是声波的缘故。”

除了这个结论,贝尔还发现,当他把耳朵贴近簧片时,他听到的不是电流通过的吱吱声,而是一段频率组成的拨弦声,音域的范围还相当宽广;也就是说,簧片其实能对一定范围内的频率产生反应。

“就好像……” 贝尔搔搔头,试着找出一个恰当的名词,“就好像一个接收器! 对,没错,就是接收器!”

这个发现让贝尔高兴得整天都坐立难安,他在实验室里走来走去,不断地推敲,只要有一点头绪,他就冲到桌子边,写进札记里:

“了不起,实在太了不起了!”

没想到华生这么一记,就产生足够的电流,去振动另一个房间的簧片！

接下来的多次实验一再证明，单一的簧片可以同时响应多种频率。

所以，如果这像牛顿证明的地心引力一样，是自然定律，是永远不变的道理，也许……也许……我们应该多利用这种声音的特质……也就是说，我们不应只想利用电报线传送摩尔斯密码，我们应该让它直接传输声音！

"对！直接传输声音！"

这个想法已经接近电话的构想了，然而，从德国的莱斯及后来多位尝试发明"telephone"的人所留下的数据中显示，制造一个能够响应或提供全部电流讯号的机器，存在着当时无法突破的难题。此外，每一种不同的频率，要确保它们不会相互干扰或混合，更是有如登天之难啊！

"到底该如何才能制造出如此复杂的机器呢？但无论如何，要感谢老天，也感谢华生那狠狠的一记，让我们往前跨了一大步！"

贝尔整日苦思，并在札记中画出许多繁复的想象机器，并且尝试执行。

在研究初期，他固执地认为，人的声音所造成的电子讯号太微弱了，一定无法振动簧片。而且他准备了一整套有如钢琴琴键般频率各异的簧片，希望能分开每一种频率的传送与接收。

经过不断的试验，他整理出一个结果，直接传输声音的理由有三：

一、在只提供少量电磁的状况下，振动的簧片就能轻易地产生

并接收到强烈的电流信号。

二、虽然一片簧片会优先响应某一波段的频率，但只要轻轻地按住它，使它被“控制”，它就能对一定范围内的频率都做出良好的反应。

三、因为语音是不同频率所组成的，所以直接传输声音是可行的。

在札记中写到这里，贝尔觉得脑中原来堵塞的地方突然通了，心脏也因为这个觉悟狂跳得快要爆炸了，他真想跳起来大叫大嚷。但是，他极力控制自己的狂喜，深怕脑中整理出的结论稍纵即逝，颤抖的手飞快再写下：

“就跟猜谜语一样啊！当真相大白时，一切都显得太简单了！因为这些声波根本不想混在一起，我们其实不必刻意去分开它们的频率，它们自己就会分开了呀！”

第六节　成功了！成功了！

华生，快到我这里来，我需要你！

——贝尔研发电话成功时所说的第一句话

贝尔悟出“声频不必刻意分开”的大自然定律，也通过人工实验得以证明，但是这并不代表贝尔立刻把电话研发出来了。

事实上，他只是转了个弯，不朝“多路电报”的方向前进，改向研发“电话”跨出一大步；也就是说，他才刚刚弄清楚“接收器”的原理，

并造出一架粗糙的模型而已。接下来他还得做出“发送器”才行。

他和华生日夜不停地讨论，试验各种方法。睡眠和饮食在他们的生活中是打断实验的琐事。如果可以，他们真希望玛蓓尔可以提供吃一餐就可以一百天不必再吃的餐点。

他们常常咬几口硬得像橡皮的面包，呼噜呼噜地灌下几口冷汤，完全无法品尝食物的味道，只为了塞一些东西进到肚子里，不让胃部发疼，以便继续用布满红丝的眼睛测试他们的发送器。

他们装配出一个发送器，就是在一个大玻璃缸中装满酸液，酸液的上方摆放一片电磁铁，电磁铁的正中间穿透一根金属针，下半部浸在酸液中，同时缠有电线。电线被拉出酸液缸，另一头绕在簧片上。离玻璃缸不远的地方，摆放一个大型电池[1]。电池的阴阳两极也各接了一条电线，一条浸在酸液中，一条则缠在簧片上。簧片上方悬空架着一片金属薄片。当贝尔捏住鼻子，对着玻璃缸大吼时，华生的耳朵则要靠近金属薄片，仔细聆听。

“听到了！”华生高兴地对贝尔大叫回去，“我听到你的大吼声了！”

---

1 电池：利用化学作用来产生电能，这种设备统称为电池。

根据记录，1799年，伏特经过多次试验，成功制造出世界上第一个电池“伏特电堆”。这个“伏特电堆”实际上就是串联的电池组。

1860年，法国的雷克兰士发明了碳锌电池——“干”性的电池。

1887年，英国人赫勒森发明了最早的干电池。相对于液体电池而言，干电池的电解液为糊状，不会溢漏，便于携带，因此获得了广泛应用。

贝尔揉揉鼻子:“我说了什么?”

这可难倒华生了。他抓抓耳朵:“声音模糊不清,但我的确听到一阵嗡嗡声,是簧片传送声波的轻微嗡嗡声。”

贝尔对这个结果很满意,但是对酸液有意见。他再次揉揉发红的鼻头:“我们不能换成别的液体吗?水、蜂蜜之类的。酸液呛鼻又难闻,我不是得憋气,就是得捏住鼻子,太难受了!”

华生解释其中的道理:“我知道你不喜欢,酸液也的确很难闻,但它比其他的液体导电能力强。金属针浸入酸液的部分越深,与酸液接触的面积就越多,流过的电流也就越强。当电磁铁因为声波的大小而振动时,金属针也因此在酸液中上下移动。金属针的移动又导致电流变化,也就是说,酸液是我们的接收器,把吼叫声转换成强弱不断变化的电流。而电流……”

华生轻轻地触动金属薄片:“电流又影响了簧片,产生振动,让金属薄片复制声音,所以可以听到声音了。”

贝尔走到窗户边,大口地呼吸新鲜空气:“如果人们得抱着酸液缸走在大街上,恐怕没几个人会喜欢这种东西。”他的脑中不禁浮现出早期的“震骨机”脚踏车。

这样的商品不仅不讨人喜欢,也不实用。

华生也靠到窗框上。“而且通话的距离太短了。人们没必要为了短距离的对话,带着这么累赘的东西。”其实,他没说出口的是,空气中弥漫着酸液的味道,可能满街都是呕吐的人。

贝尔琢磨着:“现在虽然没有达成省时省力的目标,但总算有个雏形了。华生,你看,我们先去登记专利,怎么样?”

“我正有此意。先登记起来。”华生捶了一下拳头,“我对我们的发明很有信心!”

没错,在理论上,“电话”确实可行了,具体的发明指日可待!

最要紧的是先拿下专利。贝尔立刻央求好朋友刘易斯·拉提莫帮忙填写繁复的申请文件。为了写出可以通过申请的内容,拉提莫花了整晚的时间草拟文字,一大早又送去给贝尔过目,让贝尔顺利提出申请。

满怀希望的贝尔,于 1876 年 2 月 14 日,专程到华盛顿专利局提出专利申请。登记完毕,他扭头又回到研究室,和华生一头栽进实验里,完全不知道另一位发明家,以利沙·格雷[1],比贝尔晚了两个小时,也到纽约专利局提出申请。

格雷的电话,类似贝尔的装置,只是颠倒过来;格雷对着簧片大喊,簧片的后面接着电极,电极延伸到电解液中。格雷发出的声波振动簧片,带动电极在电解液中振动,产生与声波振动相对的电流变化,进而产生模糊可听的语音。

1. 以利沙·格雷(1835—1901),美国发明家,幼时丧父,苦心向学,热衷电器研究,1867 年曾取得“改进电报器”的专利。1872 年创立西方电气制造公司,两年后离开,任职于教育界,并继续研究发明。1876 年,比贝尔晚两个小时提出“电话”专利申请。

即使很粗糙,格雷却很有信心,取得专利后,立刻将专利发明权转卖给美国最大的西部联合电报公司,因而与贝尔之间牵扯出长达十多年的“电话发明权”诉讼(此一诉讼将在后面的章节说明)。

一无所知的贝尔和华生,心无旁骛、加快脚步研发电话,除非疲累至极,两个人都不肯上床去睡觉。餐点也是囫囵吞下,只求不要肚子饿。

送来精心制作的美味餐点的玛蓓尔忍不住抱怨:“难道你们两个不能停下来歇会儿吗?好好地吃顿饭吧!我花了两个钟头准备呢!”

贝尔头也不抬,嘴里胡乱地响应:“每一分每一秒都重要啊!吃饭是小事!再说,再说吧!”

玛蓓尔气得脸色发白,要不是已经订婚,真想从此以后不要再理他!

3月10日,贝尔和华生如往常一样,各在一个房间,努力发出或听到通过电流传来的声音。华生在房间里,正仔细地检查每一组簧片是否都在适当的位置,突然听到贝尔叫着:“华生,快到我这里来!我需要你。”声音非常急切。

华生以最快的速度冲进贝尔所在的房间,也大叫:“贝尔,我听到你的声音了,我听到你的声音从送话器里传出来了!”

原来皱着眉头、龇牙咧嘴、抓着裤管的贝尔,立刻眼睛发亮、夺门而出,一边跑,一边回头吩咐华生:“换你说给我听听!”

果真，贝尔在受话器的那头，也清楚地听到华生的说话声。

他们俩在房间里交互地跑来跑去，确认每一次传话都是成功的，忍不住相拥大笑，笑得眼泪都流出来了。

好不容易，高兴的情绪趋于平缓，华生擦擦眼角的泪水："贝尔，你本来叫我过来做什么？"

"叫你过来做什么？"贝尔一时还回不过神来，想了一下，低下头去，指着裤管上的几个洞："我动了动酸液缸，想要确定它摆得稳当，不料几滴酸液溅了出来，洒在我的裤管上，腐蚀出几个洞，我的皮肤也被灼伤，我不禁疼得叫出你的名字……"

华生再次大笑起来："幸好你还会叫我的名字，而不是哇哇惨叫！因为如果你哇哇叫，我可能会当成是外面的路人被狗咬了！"

于是，在这一个值得纪念的日子，电话因为贝尔被酸液溅到大叫而诞生了！

当然，此时的电话已经改良成有两个像喇叭的送话器与受话器，并以薄膜代替簧片，还增加了一个共鸣箱，大大地改进了传送声音的性能。

3月17日，贝尔申请的电话专利被核准了，专利号码是174465。

贝尔和华生在互相拥抱、欢呼之后，大声宣布："接下来要做的，就是如何让社会大众接受我们的'电话'啦！"

第七节　推广电话

把电话线拉到家家户户的日子,终于来临了!

——贝尔写给母亲的信

电话已经发明出来了,虽然受话者听到的声音,像是有人把头埋在地洞里大喊所传出来的模糊、嗡嗡作响的声音,但总算是成功传送了。

1876年5月,第一代商业用的话筒与听筒也开发出来。贝尔将这个伟大的发明展示给几位教授看,并请他们实际体验。听到受话器里传来的人的说话声,教授们都非常惊讶。

其中一位教授瞪大眼睛,转动头部,仔细打量每一个人:“确定这里没有人会腹语?”

另一位教授则好奇地举起受话器,上上下下看了一遍:“真的是电流传送声波?”

有些教授更是四处检查:“这里有可以躲人的窗帘、箱子或地窖吗?”

最后,大家不得不一致赞叹:“了不起的发明啊!”

然而,这么伟大的发明不能只靠教授的赞美,得靠业务人员的推广,才能让一般大众接受。

巧的是,6月在费城,有一个盛大的博览会,主题为“庆祝美利坚

合众国独立一百周年”，不仅有农产品展售、品种优秀的牲畜比赛，还有许多新奇的产品和发明，全国各地的民众都等着前去开眼界。

因为岳父哈伯特先生的关系，他为贝尔在“教育区”争取到一个小摊位，让贝尔有展示电话机的空间。

博览会现场果真人潮汹涌，吃吃喝喝的摊位前，长龙似的队伍盘绕了好几圈。可惜贝尔的摊位在一个偏远的角落，每天经过那里的人寥寥可数。

头几天，贝尔挤在人群中四处去参观别人的摊位，每一次看到新鲜的玩意儿，立刻就跑回来和华生分享。

有一次，他兴冲冲拿着一张传单跑回来。

“华生，你看，有个家伙真的根据凡尔纳[1]所写的《海底两万里》，造出一艘‘鹦鹉螺’号潜水艇的模型，想要说服国防部官员提供建造经费，让他也能为美国建造一艘！”

华生把传单仔细地读过一遍，眼睛望向帐篷顶：“如果……我没记错，好像……罗伯特·富尔顿先生也造过一艘，名字也取为‘鹦鹉螺’号……”

---

1 儒勒·凡尔纳（1828—1905），法国作家，写过六十多部科幻作品，被誉为“科幻小说之父”。其中最有名的是《海底两万里》。小说中描述，神秘的尼莫船长拥有一艘名为“鹦鹉螺”号的潜水艇及一座神秘岛。《海底两万里》是畅销一时的科幻小说，激发了许多发明家研究潜艇的可行性，最终发展出现代核潜艇。

贝尔摸摸下巴,“嗯……我有印象,那是在他还没利用蒸汽机推动船只前的发明,在法国……”他一边说着,一边反复看着那张传单,最后把它夹进手札里,“等我把电话卖出去,接着我就要开始研发潜水艇了。”

过了两天,贝尔双手黏答答地回来了,一边抱怨着,“这不是一个发明的年代吗?为什么没有人发明可以把冰淇淋包起来,一边走一边吃,又不会黏手的方法?”

也难怪贝尔如此抱怨,6月已经入夏,加上博览会场到处人挤人,热得大家汗流浃背,全挤到贩卖冰淇淋的小贩前。然而,大家只能站在摊子附近吃。因为吃完的小汤匙和杯子还得回收,洗一洗,换给下一位客人吃。

可是,心急的贝尔却希望能够多看几个摊位,胡乱吞咽的过程中,不慎又被拥挤的人群撞到,倒下的冰淇淋弄得他一头一脸,还把衣服也弄脏了!

当然,一头栽进电话推广的贝尔,脑子里哪还有空闲来研发冰淇淋的包装,直到1904年,蛋卷冰淇淋才在无意中被开发出来。那时贝尔已经五十七岁了,其间相隔了二十九年。

却说,利用头几天,贝尔和华生把大部分的摊位都逛过了,然后守候着自己的摊位,动起三寸不烂之舌,认真地解释给任何一个经过他们摊位的人。因为只要再过几天,博览会就要结束了。

只可惜,每天经过他们摊位的人,十根指头也数不完。好不容易

产生一点兴趣的民众，听到受话器里传出说话声，大部分只把它当玩具看待，笑一笑后还给贝尔他们。但有些人却吓得脸色苍白，当场摔掉受话器，以为里面藏着妖魔鬼怪呢！

6月25日，博览会接近尾声，会场人数明显减少许多，经过电话机摊子的民众更是屈指可数。贝尔和华生泄气地坐在摊子里，一筹莫展。突然，走道上传来喧哗的声音，镁光灯闪个不停。他们俩探头一看，只见一大群西装笔挺的人，被拿着拍字本和相机的记者簇拥着，缓缓地前进。

华生拍了一下额头："啊！差点忘了，今天是评审委员出来评定展示作品的日子。"

贝尔赶紧检查，送话器和受话器是不是都摆放在恰当的位置。

只是，天气潮湿闷热，评审委员又走了一个下午，个个都巴不得赶快把所有的作品看完，回去喝水休息。

所以他们看到贝尔的发明——长相笨拙，不吸引人，又有难闻的味道，连提问的兴趣都没有了。

"这是什么作品？"

"电话？电话是什么东西？"

"看起来像个玩具。是发明给孩子玩的吧！"

他们自顾自地说了几句，也不给贝尔说明的机会，又拖着脚走了。

看到这一大群人，本来兴致高昂想要好好解说的贝尔，随着他们的离去，丧气地垂下头。

这时,有个开朗、热情的声音向他们打招呼:“哈啰,贝尔先生!想不到会在这里见到你。”

贝尔抬头一看,一位胸前别满勋章的年轻人,伸长手臂、大步地朝他走过来。

“啊!是陛下您啊!”贝尔非常惊讶。

原来,年轻人是巴西国王修·贝特路,他的后面跟着王后和随从。而那些此起彼落、闪个不停的镁光灯,也是因他而来的。

贝尔和国王的情谊,要追溯到贝尔还是波士顿大学教授的时期。当年国王观摩贝尔的“可见式语言”教学法,深受感动,下课后特别留下来向贝尔讨教。他求知若渴的态度,让贝尔深刻感受到他想要造福巴西子民的用心。

国王看着桌上的成品:“贝尔先生,你的作品是什么?”

“陛下,这叫电话。”贝尔把送话器和受话器往国王的方向推,“原理是利用电流传送声音。希望可以让远距离的人们,省时不费力地通话。”

“哦?挺稀奇的!”国王指指桌上的器具,“我应该用哪一个?”

华生赶忙把受话器拿起来,并示范如何将它靠近耳朵。

这时,附近好奇的人群开始围拢过来。本来已经走远的评审委员,也因为喧哗声转回来探个究竟。摄影记者的镁光灯更是举得高高的,准备随时按下快门,捕捉最完美的画面。

确定国王的耳朵已经靠进受话器,贝尔这才拿起送话器,背对

国王,轻轻说出:“是生是死,才是问题。”

国王的眼睛登时亮了起来,并且大叫:“我听到了!贝尔先生说了莎士比亚著作《哈姆雷特》一剧中的名言。”

啪啪啪!镁光灯的闪光此起彼落争相闪了起来,几乎要弄瞎了现场民众的眼睛。大家当然也都可以想象,明天一早,各大报的头条一定是巴西国王惊讶的特写照片。

既然巴西国王没被妖魔鬼怪吓坏了,评审委员和一般民众怎么会示弱呢!

立刻,本来是最冷清、乏人问津的摊位前,排起长龙,大家争先恐后要体验“巴西国王也听过的新奇电话”!

博览会闭幕典礼的时候,贝尔的电话获得了最高荣誉——金牌奖。贝尔和华生高兴地合不拢嘴,美国民众总算认识电话了!

而这一切全都要感谢巴西国王的“慧眼识英雄”啊!

不过,最爱找碴的记者们,虽然在第一天给予正面的肯定,后续的报道可就不客气了,他们在“博览会花絮”中如此形容电话:

“好像一英里外,有个透不过气来的家伙,努力想说话!”

“那种机器怎么能用!从那机器里传来的声音,就像一个家伙头上套着木桶,嘴里还塞满东西。它说什么,我们能听得懂吗?”

民众中当然也少不了医生和宗教人士,他们被记者采访时,毫不客气地发表了严苛的评论:

“这是一个会把人逼疯的发明!想想看,未来的人们因为电话铃声，就得放下手边的工作，飞奔过来接电话！我们拒绝接受这种机器进入家庭，因为我们即将失去悠闲、安静的生活！”

“这是撒旦引诱人下地狱的机器！以后的人为了接电话，可能不来上教堂，不再亲近主。因为可以打电话，人与人之间不再相互拜访、联系感情，因此变得人情淡薄、六亲不认！”

最严苛的，莫过于《每日电讯报》上的一篇评论：

“美利坚合众国的民众，你们真的认为‘电话’是个伟大的发明吗？

“其实一点也不是！

“我们可以同意，它是一个精巧的装饰品、一个有趣的儿童传话玩具、一个会花光大家存款的好方法。所以，如果要说它是一种通讯工具……

“我要投反对票！

“大家不妨想想，使用这个工具（如果它真的能运作的话），应该会教人汗毛直竖、毛骨悚然才对啊！

“大家怎么知道，从听筒另一头传来幽幽的、若有似无、仿佛远在天边的声音，到底是从哪里传来的？你真能信服吗？

“此外，大家难道不能预见，家家户户有了这个工具之后，人们会开始变得懒惰，不再出门呼吸新鲜空气？因为，有什么事，躺在椅子上打个电话就行了！

“因此，我们要说：‘不要打电话给我们，贝尔先生！’”

这些努力不让电话干扰生活的人们，也许预言了21世纪的生活。但庆幸的是，当时大部分的人都欣喜地接受了这项新奇的伟大发明。

第八节　英国女王的肯定

我的脑子停不下来，因为我随时随地都在思考。

——贝尔名言录

经过巴西国王在博览会高声赞叹的推荐后，电话已经引起了大家的注意，但是当时的电话器具实在太笨重了！

谁愿意在家辟一个角落，放一个笨重的家伙，只为了和远方的亲友讲几句话？何况其中的容器还装有危险的酸液，若是被家中的幼儿打翻了，后果不堪设想！加上报纸上那些教人丧气的报道，即使是大公司也不愿意冒那个险。

为了让公司商号能率先使用电话，贝尔和华生积极地改良体积和传讯质量。他们有系统地更替零件，譬如有一次，贝尔认为受话筒内的簧片应该可以用一块厚6厘米、长宽60厘米的铁板取代，但是就在一次搬动时，不小心砸到华生的脚趾……

“啊……”华生惨叫，抱着脚指头，单脚在实验室里跳来跳去……

贝尔则满脸通红、结结巴巴：“嗯……呃……显然这不是一个好主意，要是家里有小孩，那……就不妙了……”

立刻，厚重铁板话筒的主意被排除了。

当然，改良的过程也不全然都是挫折。有时好消息也会从天而降。

这一天，他们收到一封电报。

贝尔穿着被酸液腐蚀了好几个洞的工作服，开门签收电报。“谁会给我电报？”

信差戳戳信封：“英国王室发的。”

贝尔小心翼翼地收下电报。华生的头也凑过来。玛蓓尔则站在屋里，惊讶地用手捂住嘴巴。

贝尔一个字一个字念出：“邀请贝尔和华生两位先生，向女王[1]介绍新奇的发明——电话！”

华生高兴得一把抱住贝尔，又叫又跳：“是王室的邀请函！哇哈哈！呀呼！我们受邀去英国王室咧！”

玛蓓尔虽然听不到他们的欢呼，可是从他们的嘴型及又蹦又跳的样子，也分享了这份荣耀，跟着高兴得满脸通红。

接下来当然是紧凑的筹备过程：机器要打包，行李要准备，觐见女王的繁复礼节要学习……好不容易一切都准备妥当了，他们踏上了

1 女王：当时英国王室是维多利亚女王在位。1838 年，十八岁的亚历山德拉·维多利亚登上英国女王的宝座，直到 1901 年去世，在位六十三年。她是英国历史上统治时间最长的一位君主，同时开创了英国的黄金时代——维多利亚时代。

旅途。

回到英国，贝尔自有一份熟悉的感觉。但是年岁增长、阅历增多，当年到处探险的那份好奇心已不复存在，取而代之的是要觐见女王的紧张心情。

一切都很顺利：安装送话器和受话器的房间已经就位；贝尔和华生也按照所排练的规矩，觐见王室成员，鞠躬、微笑、注目礼、回答问题的语句……都没出错。接下来，贝尔要亲自为女王介绍电话的原理及使用的方法。

此时的电话已经改良到不需要使用酸液缸，所以女王不必对着酸液大喊，不需要闻到酸臭的味道，更不必担心会被酸液腐蚀到漂亮的衣服。

只是……训练的礼仪官却忘了提醒贝尔：不准碰触女王的身体，即使只是碰到手指头都不可以！（他当然会忘记，因为在这之前，所有觐见女王的人，都站在离女王遥远的台阶下面，谁也没机会碰触到女王。）

贝尔更是完全没有概念。过去他从事多年的听障人士教育工作，打从骨子里深信，没有必要对听障人士大吼大叫，因为即使喊破喉咙，他们也只会露出茫然无知的表情，唯有轻轻碰触他们的手臂，才能提醒他们注意，必要时还要抓起他们的手来碰触喉咙呢！此外，为了示范电话的操作，贝尔和女王靠得很近！就在此时，让所有人汗流浃背、差点尖声大叫的事情，就在毫无防备的情况下发生了！

长长的电线从华生放置送话器的房间，一直延伸到女王的御座前。贝尔则亲自为女王示范如何使用受话器接听。贝尔发挥他的演讲专长，仔细为女王介绍电话的原理。

只是，女王对复杂、冗长的科学原理并不感兴趣，眼神不时飘向别的地方。这对贝尔真是很大的打击。为了引起她的注意，也为了加深印象，贝尔伸出手来，轻碰一下女王的手背，要她注意操作方式。

就在接触的那一刹那，女王惊吓得睁大眼睛，瞪向贝尔。

但是，贝尔浑然不觉，继续解说。

女王转头看向礼仪官，一脸愠容。

只见原来站得笔直的礼仪官，换成起跑的姿势；准备随时冲上前来护卫女王。

其他站在一旁的官员，则个个吓得脸色苍白、冷汗直流……

通话开始，女王顺利地听到长廊另一头传来的声音，她客套地响应，礼貌地挂上电话。贝尔退回台阶下站立。

危机解除。

女王坐正身体，清清喉咙，对站在台阶下的贝尔和华生说："嗯……两位先生，我就直说不讳了。两位努力创造了一个了不起的装置。我保证，我会责成相关部门研究它的重要性。如果他们通过提案，我们一定会使用你们的装置。"

出了王宫，头上仍在冒汗的礼仪官对着高兴得互相拥抱的贝尔和华生说："算你们好运，今天女王心情好，礼遇你们，没把你们扔进

伦敦塔[1]!”

第九节　贝尔电话公司

世事并无难易，只要用心，一定可以解决！

——贝尔名言录

幸运的没被丢进伦敦塔的贝尔和华生，很快回到美国，发现女王肯定的消息比他们早一步传回美国了，因此大家都张着期待的眼睛，等着开始使用“女王用过的”电话。

于是，贝尔、华生、桑德士和哈伯特四人，合股成立贝尔电话公司，以出租电话机和电话线、收取使用费的方式，开始为一些家庭装设电话。时间是1877年。

公司才成立，几百部电话就卖出去了。只是语音质量很不理想，公司常接到用户的抱怨与投诉，贝尔也苦于无计可施。

然而，老天爷似乎特别眷顾贝尔，将托马斯·阿尔瓦·爱迪生[2]带

---

1 扔进伦敦塔：意思是“入狱”。伦敦塔曾是堡垒、军械库、国库、铸币厂、宫殿、刑场、公共档案办公室、天文台、避难所和监狱，尤其是上层阶级的囚犯会被关在此处，等候处决。现在的伦敦塔则是重要的观光景点。

2 托马斯·阿尔瓦·爱迪生（1847—1931），美国发明家、商人，拥有众多重要的发明专利，是世界上第一个利用大量生产原则及其工业研究实验室来生产发明物的发明家，名下拥有1093项专利。1892年创立通用公司。

到贝尔的面前。

两位发明巨星碰面了!

“爱迪生先生!”贝尔大喊,张开双臂,用力抱住爱迪生,“久仰大名! 久仰大名!”

爱迪生也用热烈的拥抱回敬贝尔:“早就听过你的大名,如雷贯耳呀!”

“报纸上常出现你的照片。”贝尔推开爱迪生,仔细打量,“你本人比照片上年轻多了!”

爱迪生用手指比出数字,“1847 年 2 月 11 日生的。”

贝尔惊叫起来:“我也是 1847 年生的,但比你晚个几天,3 月 3 日。”

“兄弟! 兄弟!”爱迪生高兴地用拳头捶捶贝尔的肩膀。两人都开心地大笑起来。

因为两人都是发明家,直肠子一条,话一投机,率直的本性很快就显露出来。

爱迪生先开门见山地说:“贝尔先生,你所发明的听筒,受话的质量已经非常好,但是送话器的部分,我认为,还有很大的改进空间。”

贝尔一听,眼睛发亮:“正是,我苦思许久,试过许多材料,就是找不到好方法。”

爱迪生从口袋里掏出一张设计图:“我已经试过这个方法,确实可行，相信对你的话筒很有帮助。”

爱迪生所做的新式话筒，里面装填了松松的碳粉，是利用声波振动薄簧片来挤压碳粉。因为碳粉比酸液能传导更多的电流，进而转换成高传真、可变化的电流脉冲。配上贝尔改良的受话装置，可以传出更清晰的语音。

“太了不起啦！”贝尔热切地握住爱迪生的手，不断地摇动，“你帮我解决了多年的难题啊！”

然而，不知何故，爱迪生却把这个改良装置卖给了西部联合电报公司，衍生出西部联合电报公司与贝尔电话公司长达数年的法律诉讼。

且说，因为爱迪生的改良，贝尔电话公司在一年半内销售出一千七百部电话，但均为短距离、区域性的通话。

为了让社会大众更能接受，并解决长途通讯的问题，贝尔在1878年初对外宣布，将于8月在两地距离三百多公里的波士顿与纽约之间，正式拉出远距离的通话电线。

大家拭目以待的日子终于来临了。华生和贝尔各在波士顿和纽约的实验站，准备向社会大众证明“远距离的通话是可行的”！

根据他们事先的计划，现场除了通过电话说话，还要请一位知名的民谣歌手，在华生的那一头高歌一曲，同时通过电话线，让贝尔这一头的广播系统播放给现场的民众听。

只是，人算不如天算。

电话接通了,该讲的话讲完了,知名的民谣歌手却迟到了!

当年还没有移动电话,无法通过手机立刻知道民谣歌手迟到的原因:生病、意外、塞车……只知道,时间到了,该出现的人却没到场,不仅华生这一头急得一身是汗,三百多公里外的贝尔也像热锅上的蚂蚁,全没了主意!

不得已,华生硬起头皮,对着电话说:“就让我为大家高歌一曲吧!献丑了!”

三百多公里外等待的民众,听到华生优美的歌声从听筒里传出来,通过广播喇叭,大家全听到了,证明“即使路途遥远,声音还是能清楚地传过来”!

远距离的通话成功了!

因为华生这么一唱,大家使用电话的意愿更提高了,两年后,原来才卖出一千多部的电话,增加到将近五万个用户。

话说四十年后,贝尔邀请华生到他家吃晚饭。两位头发斑白的老人聊起当年打拼的种种,不时拍桌子大笑。

贝尔笑得眼泪都流出来了:“华生,我不改初衷,一直在听障教育和发明的领域里工作。告诉我,你为什么当起逃兵,跑去当舞台剧作家和演员呢?我常看到你的名字出现在报纸上,你现在可是个名人呢!”

华生也笑得肚子痛:“当初,还不是你让我在电话里唱歌!”

贝尔莫名奇妙:“让你在电话里唱歌?什么时候我请你在电话里唱歌啦?”

“波士顿到纽约,三百多公里破纪录的长途电话呀!”华生非常正经,“我才发现,原来我有唱歌的天分,也喜欢演戏。电气实验实在太无聊了,在舞台上唱歌、演戏有趣多了!”

这一切确实是贝尔在发明、推广电话时始料未及的,没想到华生因此成功地发展了他多才多艺的一面呢!

第十节　电话权诉讼

人无法给发明家财富,或剥夺他的所有,因为发明就是他的一切。

——贝尔名言录

贝尔成立“贝尔电话公司”最初的考虑:希望电话可以成为一种大众传播媒体;以电话公司为发送中心,传播音乐、牧师的布道、重要的演讲等,而受话者就是付费的订户。

这样的传播工具,其实引不起大家的兴趣,所以订户不多。然而,1878年的一场灾难改变了人们对电话的看法。

一列载满乘客的火车在康涅狄格州的特里夫维尔出事,那里是个偏僻的地方,前不着村,后不着店,火车公司根本不知道事故发生了,救援也无法迅速抵达。火车上的工作人员步行了一段长路,走到

距离火车出事地点最近的哈特福德镇求救。火车站的电报系统发挥作用，立刻联络上火车总公司。只是路途遥远，医疗及救援人员无法立即赶到。

幸好，镇上有个医生家里安装了电话，而且附近城镇的多位医生家里也都有电话。于是，他立刻以电话联络附近所有的医生，大家在很短的时间内赶到出事地点，救护伤员。

第二天，全国的报纸都以头版报道了这场灾难，并宣扬电话的好处。立刻，有如滚雪球般，美国的民众家家户户都希望电话线可以拉到家里来了。电话用户由一千七百多个，暴增为一万个。两年后，更迅速地增加到四万八千多个用户。

由于大家观念的转变，电话开始扮演起传递人类远距对话的工具，因而需求量增加，变成一种产业，迅速地发展起来，甚至与电报业者抢起生意。

这一天一早，华生才踏进办公室，就听到贝尔踏着重重的脚步，朝他走过来。

"早！贝尔，今天阳光明媚，是个好天气！"

"不好！今天天气不好！"贝尔气呼呼地把一个大信封丢到华生的桌子上，"什么玩意儿！竟然说我们剽窃、抄袭、任意使用爱迪生的发明！莫名奇妙！"

从没看过贝尔发这么大的脾气，想必是一件让人非常气恼的事。

华生抽出信封里的文件,仔细地阅读一遍。在这期间,贝尔就在屋子里踱来踱去,嘴里嘟嘟囔囔地说些气话。

“咦?爱迪生不是同意我们可以使用他改良的话筒吗?”华生提出疑问。

“是啊!他是这么说的呀!”贝尔还是气呼呼的。

华生再一次低头研究那份文件:“对我们提出控告的是‘西部联合电报公司’。爱迪生授权给它了吗?”

贝尔接过文件,指着原告提出诉讼的理由:“看到没?西部联合电报公司主张:

“一、被告剽窃、抄袭使用以利沙·格雷先生的电话发明。

“二、被告任意使用爱迪生改良的送话器。

“所以,它对我们提出侵害西部联合电报公司权利(简称侵权行为)的诉讼。”

华生一头雾水:“谁是以利沙·格雷?他凭什么主张他发明电话?我们可是拥有华盛顿专利局发给的专利,证明文件就挂在我们办公室啊!”

“这一点勿庸置疑,证明文件随时可以拿出来。所以我们不必担心格雷先生。”贝尔虽然有信心,但也难掩担忧之情,“麻烦的是爱迪生先生的这一部分。当时,他对我们的电话充满浓厚的兴趣,也基于我和他是同年出生的情谊,对送话器加以改良,并口头同意我们可以使用,所以他并没有出示授权同意书,让我们签字。而我们也搞不清

楚他和西部联合电报公司的关系,他是否有将他的发明卖给西部联合电报公司……现在我有被反咬一口的愤怒与无奈!”

华生也沉重地点点头:“关于这件事,我们得派人去查个清楚。”

开庭的日子终于来临了,贝尔西装笔挺地出席了,并在法庭中发挥他的演说长才。首先他诚恳地为自己的正直与清白辩护,说明自己从没有想要占人便宜,并以自己长期关怀听障人士福祉作为补充说明。接着他拿出专利局发给的专利证件举证自己拥有的权利。他足足说了好几个小时,早就超过午餐时间,他的律师不得不小声提醒他:“用餐时间到了!”

正努力为自己辩护的贝尔,喝了一口开水:“我不吃午餐!”继续滔滔不绝地为自己的权利奋斗。

与此同时,贝尔的律师经由正式的法律渠道查询,确认当年格雷先生向纽约专利局提出申请的时间,恰巧与贝尔是同一天,只是整整晚了两个小时。

有鉴于此,审理法官和双方的律师决定速战速决,经过几次协调、讨论,双方同意:贝尔电话公司未来的十七年内,需将其获利的一部分分次付给西部联合电报公司。同时,贝尔公司取得美利坚合众国的电话经营权,而西部联合电报公司则独占全美的电信通讯市场。

对这样的结果,双方都很满意;在法律的规范与保护下,井水不犯河水。

虽然贝尔的电话事业稳居龙头的位置，但是庞大的商业利益也吸引不法之徒前来。接下来的几年，五六百家未经贝尔授权的电话公司，仿冒贝尔的电话，也私下拉起电话线，为不知情的用户提供服务。

只见城市里立起一根根电线杆，电线杆上缠绕着一条又一条的电线，好让用户可以直接与其他的用户通话，因此，城市的天空都快被电话线遮蔽了。

此外，还发生了许多有趣的现象。最常见的是，原先正在使用电话的人，因为另一个用户要使用而被切断了；要不就是，甲用户正与乙用户通话，丁用户也打电话给丙用户，结果两组人都相互听到另外一组人的交谈，不仅互相干扰，甚至毫无隐私。

当时，知名作家马克·吐温[1]也是装设电话的用户之一，许多次在使用电话时，因为线路被切断或出现别人对话的状况，让他非常生气，竟忍不住对着发话器大喊：“是我先使用的，你们滚出我的电话线！”

对于这些不遵守法律的公司或个人，贝尔一点也不肯让步，他一查出这些冒牌的公司或个人，立刻告上法院。所以，他为了维护用户与自己的权利，总共出庭了六百多次的诉讼，直到大众建立了“仿冒是违法”的观念为止。

1 马克·吐温（本名：萨缪尔·朗赫恩·克莱门斯，1835—1910），旅行记者、幽默文学家、作家及演讲家，最著名的作品是《汤姆·索亚历险记》及《哈克贝里·芬历险记》。

而有桩诉讼却是贝尔先生在有生之年，无法亲自为自己辩护的。

根据2002年6月15日美国国会众议院269号决议："电话不是贝尔发明的。应该是意大利裔移民安东尼奥·梅乌奇[1]发明的。因此'电话发明者'的桂冠，应该改戴在梅乌奇的头上。"

这个决议可真是震惊了全世界，也伤透了许多贝尔迷的心！

美国国会何以敢作如此惊世骇俗的决议？

他们所坚持的理由之一是，梅乌奇比贝尔更早发明出了电话，并提出专利申请。

1860年，梅乌奇曾公开示范他所发明的电话雏形——"会说话的电报机"。当时纽约一家以意大利文发行的报章曾报道过此事。但因梅乌奇已将他大部分的积蓄用于研究上，没有多余的钱将雏形再改良，甚至无力筹足250美元去申请电话的永久专利权。幸好专利局同意，在没有另一个人取得相关的专利之前，他可以每年付10美元的方式，申请临时专利。

梅乌奇首次申请是在1871年(贝尔则迟至1875年才提出申请)。但是，三年后他却连10美元也付不出来。加上他的英语能力不佳，无法顺利向商业界推介他具有前瞻性的产品。

在这三年努力的过程中，他曾将电话雏形送往西部联合电报公

1 安东尼奥·梅乌奇(1808—1889)，出生于意大利的佛罗伦萨，后搬到古巴，1850年左右迁到美国纽约，1857年即已开始研究声音的传输。因此，《意大利科学百科》赞誉他为"电话发明家"。

司，对相关部门亲自解说并示范，只是每次他要求与公司决策高层见面时，都被打回票。1874 年，他等得受不了，向公司索回他的发明。没想到得到的回复是："遗失了！"

大公司不理他，梅乌奇只有自认倒霉。

国会坚持的第二个理由是：贝尔曾与梅乌奇共享研究实验室。

根据 1877 年最高法院的记录，当年梅乌奇曾提出贝尔剽窃、抄袭、欺诈的诉讼，法院也受理了。然而，贝尔的电话正受到世人的欢迎，他还成为英国女王的座上宾，是个名人，使得法院不敢贸然行动，不断延后审理此案。

1889 年，梅乌奇逝世。原告不在人世，更不可能开庭了。

七年后，这个诉讼案被撤销。

国会所持的第二个理由是，后人在贝尔的札记中完全无法看到蛛丝马迹，且当年与贝尔同事的人均已作古，完全无法查证。

只能说，电话发明至今已经一百多年，衍生出如此的决议，恐怕是贝尔先生想都没想过的。

相信，如果他还在世，一定会为自己的权益奋战到底！

第十一节　电话！　电话！

发明如果不能以实用为目标，一无可取。

——贝尔名言录

接近 1877 年的年尾,不仅公司商号装设电话,节省讯息传送人的成本,许多家庭也装设电话,和远距离的亲戚朋友保持联系。

只是,暴增的电话用户常常打电话向电话公司抱怨,投诉他们在讲电话时突然被切断,要不就是正在通话的过程中,也听到别人的对话,实在教人无法忍受。

贝尔电话公司面对这么棘手的问题,一直努力想找出解决的办法,终于在 1878 年于康涅狄格州首度设立"电话交换机"[1],解决问题的曙光渐渐露了出来。

贝尔电话公司在报纸上刊登一则征人广告,广告内文是:

"诚征女性两名,条件如下:

"一、声音悦耳;

"二、反应灵敏;

"三、可以长时间坐在椅子上。"

条件看起来很简单,所以吸引许多妇女前来应征。为了挑出适当的人选,贝尔负责第一关的面试,要求应征者念一段台词,结果立刻就刷掉一大半的应征者,因为那些人所念出的台词,在贝尔敏感的耳朵听来,一点也不悦耳。

剩下三分之一的应征者接着要在短时间内,背五十个名字,再通

1 电话交换机:早年,用户以手摇发电通知接线生,接线生利用塞绳的插入与拔出,来完成使用者电话间的接线和拆线。

过华生的第二关测试:当华生随意念出两个人名时,应征者要按照顺序举起这两个人的名牌。

第二关又有二分之一以上的人被淘汰。

最后,剩下几位应征者和贝尔、华生坐在会议室,由他们两人负责提一些假设性的问题。

贝尔的目光轮流把每一位应征者看过一遍,咳了两声,清清喉咙:“实际的状况,我们不能确定,只能假设,也请各位好好思考,你做得来吗?”

依照事前的模拟,接着由华生接腔:“你们要负责的工作,就是当用户打电话进来时,以最快的速度帮他们接通对方。”

应征者都有信心地点点头。

换贝尔提问:“如果,同时有五条电话线或更多线路打进来,你认为你能应付,并且一样有礼貌地为他们服务吗?”

应征者开始对第三个条件有点概念了。

贝尔注意着每一位应征者的脸色,继续提问:“也许你忙了一个早上,用户的电话不停地打进来,让你抽不出空来去上厕所,你能忍受吗?”

当然这不是真的,贝尔和华生也不愿员工因为工作而伤害身体,但是康涅狄格州特里夫维尔的火车事件,的确教人心有余悸。当时又繁忙又紧急的电话联络,绝非一般人可以想象,贝尔和华生认为有必要让应征者做好心理准备。

这么一提问,应征者对第三个条件有更具体的认知了。部分人的脸上开始露出一些难色。

华生也补充:“假设用户打电话进来,不知道为什么事情慌张地大叫,你懂得安抚他,让他可以慢慢地、清楚地说出打电话的目的,或者向哪个单位求救吗?”

这时候,除了埃玛和史黛拉,其他的应征者都开始坐立不安、不知所措了。

原来,要当电话接线生并不如想象中的那么容易,除了贝尔和华生所开出的三个条件,还有许多无法预知的状况,例如:有人打玩笑电话,接线生无法分辨,结果让警察或消防队员白忙一场;或有人喝醉酒在深夜打电话,并且说错对方的名字,结果一方说不清,另一方又被吵得无法睡觉,最后通通怪罪接线生;或有人气若游丝,无法辨认所说的话,该不该有警觉心,直接通报警察单位?或有人只会在电话中惊慌地大喊失火了,却说不清在哪一条街道,可以引导他说明白吗?并且要懂得立刻通报消防单位,以便迅速灭火……

最后,只有埃玛和史黛拉被录用。

经过简单的训练后,两位女士正式投入工作,贝尔也再次恳切且慎重地叮咛:“埃玛、史黛拉,有一件事情你们一定要切记,你们在接通电话的过程中,会听到双方通话的内容,不管如何,你们要谨记,千万不可以流传出去!就算是对你的家人也不可以说!那是你们该遵守的职业道德!”

因此，史上最初的两位电话接线生——埃玛和史黛拉，开始担任切换电话的工作。当时，她们的电话簿上不是电话号码，而是五十个用户的名字。她们对这五十个名字可谓是滚瓜烂熟，甚至只要一听到声音，就能知道是哪个用户要打给哪一家了。因为她们非常称职，贝尔电话公司开始在大城镇设立电话接线生，解决了电话被切断和电话中也听到别人通话的问题。

1879 年，伦敦仿效美国也设立电话交换机，但因为大部分的用户还心有疑虑，所以只有八部电话使用这个装置。

到了 1881 年，北美洲地区已经有超过十三万个电话用户，电话交换机的功能不言而喻，电话接线生的工作也日益重要。

进入 20 世纪后，工业发展，科学进步，商业行为更是日趋繁忙，大家的生活步调越来越紧凑，电话交换机的需求量更大，人工插接电话的速度已不敷使用。

随着拨号电话的出现，电话接线生陆续被电子系统所取代。现今的交换机以数字讯号来输送。电话中的多任务器会先将声音转成数字讯号，传送到受话者的电话中，受话者的电话多任务器又会将数字电讯转回声音。

时代进步到公元 2000 年，现代的光纤通讯可以同时处理几千通以上的数字电讯，也就是说，在光纤中，每秒有数千通的电话，同时在里面咻咻咻地跑来跑去！如果当年的埃玛和史黛拉看到这种状况，一定会看得瞠目结舌，无法相信。

此外，利用电话线传输文字与影像的传真机[1]，也在发明家的努力下成功问世，让全球的通讯大大缩短了距离。

进入21世纪后，带来便利也引发许多困扰的手机[2]，除了搭乘飞机时严格禁止使用外，几乎任何处所、任何时间都可以用它来洽谈公事或聊天。这么先进的通讯工具，已经改用数字交换机来处理，更利用到太空卫星来输送电讯。

而说到这些改进与发明，若不是当初贝尔和华生辛苦的研发，大家也无法享受如此甜美的成果啊！

---

1 传真机的发明：1843年，英国电气工程师亚历山大·班就曾提出传真机的原理。1925年，美国电话电报公司（AT & T）贝尔实验室推出第一台传真机，当时只限于照片的传真。后来，日本电气公司（NEC）成功开发出日本制造的传真机，引起世人的注意。

1953年，日本电报电话株式会社（NTT）将传真机推广到银行、交通、电信等单位，将全国各机关连成传真通信网。1973年NTT才开放公众电话网络供传真机使用，全球才正式迈入电话传真机时代。

2 手机的发明：根据吉尼斯世界纪录，世界第一部手机由马丁·库珀为了刺激竞争对手而发明。1973年4月3日，库珀在美国纽约曼哈顿的街角，通过移动电话的原型机种，打了一通电话给AT & T贝尔实验室的对手，炫耀他的发明。

十年后，摩托罗拉公司推出第一部商用行动电话DynaTAC 8000X。这部行动电话重达900克，售价3995美元。

第四章 其他的发明

虽然美国国会判定，贝尔不再享有发明电话的光环，但这无损于他对世界的贡献。

贝尔除了发明电话，还尝试以光束来传话，申请了“光影电话”的专利；并发明金属探测器，用来找出因意外而留在体内的金属物；改良了爱迪生的留声机，以记录蜡筒取代锡箔，成为更优质的记录材料，间接促成圆盘唱片的发明。晚年，他还热衷于水翼船、箱型载人风筝、海水转换器、垂直发动的三叶螺旋桨、多乳头羊等。

虽然这些发明在当时都未臻完美，也无法立刻变成方便的商品，但却直接或间接影响了年轻的发明家，让他们得以追随他的脚步，继续前进，发展出现代优良、方便的产品。

第一节 改良留声机

成功属于步步踏实的人。

——贝尔名言录

随着大众对电话的需求，电话很快地普及到各个家庭。贝尔电话公司的声誉开始传到全世界，先前有英国女王的好奇，后来有两位日本留学生——金子坚太郎和伊泽修二，在学成归国前特别到波士顿的贝尔实验室[1]拜访。

贝尔和华生亲自接待。

说过仰慕和敬佩的话后，金子坚太郎客气地请教："这个机器听得懂其他国家的语言吗？"

贝尔和华生互看一眼，一脸茫然。

金子坚太郎连忙解释："我的意思是，它也可以传送日本话吗？"

"虽然它还没传递过非英语系的语音，"贝尔表现得非常有信心，"但我相信，只要你能说出来，它肯定可以传送日本话。因为只要有

---

1 贝尔实验室：最初是贝尔电话公司从事包括电话交换机、电话电缆、半导体等电信相关技术的研究开发机构。于1907年为美国电话电报公司（AT & T）收购。

1996年，贝尔实验室与AT & T的装置制造部门脱离。AT & T改名为朗讯科技，只保留了少数研究人员。2008年8月7日，朗讯在连续六季亏损后，将贝尔实验室大楼售出，8月底，贝尔实验室宣布结束芯片研发业务。20世纪中后期，贝尔实验室产生了多位诺贝尔奖的得主，并有许多重大的发明。

声波，它就一定能传送！”

“我们可以试试看？”伊泽修二小心翼翼地提出请求。

“没问题！”

金子坚太郎和伊泽修二分别被带往两个不同的房间，一个拿起送话器，动手摇起摇杆。

铃铃铃……另一个房间里的电话响了起来，接听者拿起受话器，听到受话器里传来标准的日本问候语，满脸惊讶，赶紧也问候回去。当然，原先发话的人也听到了。

1899年，贝尔夫妇旅行到日本，受到日本全国上下的热烈欢迎。已经就任日本司法大臣的金子坚太郎，代表日本政府在欢迎会上致词，说出当年的故事。

随即，贝尔也站起来，依照日本的礼节，对与会的人士深深地一鞠躬：“我个人虽然不会说日本语，可是我的‘孩子’——电话，在所有外语中，第一个会说的，却是日本语！”

现场立刻响起如雷的掌声。

这一年，距离贝尔当年成功发明电话，已经二十三年了。五十二岁的贝尔是不是整天没事干，到处旅行，接受别人的欢呼呢？

一向认为自己呼吸着“发明”空气的贝尔，随时嗅闻着“新鲜”的讯息，把它们整理成可以发明的材料。

在成立“贝尔电话公司”之初，虽然因为爱迪生的疏忽，造成“贝尔电话公司”和西部联合电报公司有关电话专利的纠纷，但是贝尔并没有怀恨在心，反而帮了爱迪生一个大忙。

事情的缘由是，爱迪生在1877年发明了一种录音装置：利用声波造成金属针的振动，金属针则在圆筒形锡箔纸上刻录波形图案。当金属针再一次沿着波形的轨迹行进时，就可以重新发出先前留下的声音。

爱迪生公开他的发明时，在许多人的面前朗读《玛丽有只小羊》的歌词："玛丽抱着羊羔，羊羔的毛像雪一样白"，总共用了八秒钟。

然后，爱迪生重新播放他的录音，现场的观众看到金属针颤动起来，沿着先前刻录的轨迹前进，跟着念出："玛丽抱着羊羔，羊羔的毛像雪一样白"，同样用了八秒钟。

那些整天在寻找新鲜、新奇事件的记者，镁光灯劈劈啪啪地亮了起来，第二天各大报的头条新闻都这样写着："又一项伟大的发明——可以不断重复播放声音的机器！"

只是，爱迪生的录音装置并不实用，因为锡箔不耐用，金属针重复走过几次，锡箔就被刺穿或刺坏了，也就是说，这个留住声音的装置寿命很短，如果想要发展成商业用途，让大众认为值得花钱买一个回家，就得改良滚筒锡箔的部分。

1877年，贝尔的电话发明才刚刚被大众接受，送话器还是个酸液缸，受话器也模糊不清，眼前还有许多困难需要解决。他从报纸上得知了这个发明讯息，但并未想到有一天自己会去改良它。

过了三年，1880年，社会大众已经能接受电话了，许多国家还公

认电话是个伟大的发明，例如：法国因此要颁发“伏特奖”[1]给贝尔，除了聘请他为法国荣誉军官外，还颁赠一笔丰厚的奖金，感谢他对世界通讯的贡献。

有了这笔奖金，贝尔可以更专心地做研究与发明了。他成立了“伏特实验室”，除了将电话做更节省能源、更便捷的改良，他也想起爱迪生那个让他产生好奇的留声装置。

经过打听，他知道爱迪生之所以要发明这个留声装置，乃是有鉴于美洲地区的商业行为日渐繁忙，许多大公司的老板请了好几位秘书，以便随时听候指示工作。可是秘书小姐们常常有个困扰，那就是老板们不叫则已，一叫就是非常紧急，因此口头指示总是下得又急又快，而且要立刻看得到成果，长期下来，秘书小姐们不是得胃病就是泌尿系统出现问题。

所以，当时的留声机主要是销售给大公司的老板作口述指示使用的，秘书小姐或速记员可以重复播放以便详实或正确地转成书面文件。

然而，第一代留声机因为体型粗重，复制效果不佳，无法获得大公司老板的青睐，爱迪生分公司的销售业绩不理想，导致亏损累累。唯一的好消息则来自位于华盛顿特区的哥伦比亚公司[2]，该公司不录

1 伏特奖：1880 年，贝尔获颁法国伏特奖，并被聘为法国荣誉军官。他利用伏特奖的奖金成立伏特实验室，进而成立伏特局，专门为听障人士做各种服务与研究。

2 哥伦比亚唱片公司：成立于 1888 年，在华盛顿特区、马里兰和特拉华贩卖爱迪生

制人的声音，改为录制音乐，并出租给游乐场或游园会，让人投币听音乐。游玩的民众看到这么新奇的玩意儿，推推挤挤地排着队，毫不吝惜地投下硬币，听着从机器里传出的音乐，哥伦比亚公司因此赚了不少钱。

钱是赚到了，但三天两头的机器维修工作确实让工作人员很头痛，所以他们不断向爱迪生总公司反映，希望有更轻巧的设备。然而当时爱迪生已经把主力转向影像的录制，无心改良。贝尔知道了，决定着手加以改良。

经过多次的尝试，1881 年，贝尔发现以蜡制滚筒取代锡箔滚筒，录音效果不减却更耐用。因此他算是回报了爱迪生改良话筒的人情，也成功地改良了爱迪生的留声设备。

贝尔成功的例子，激发了许多人也着手录音设备的相关研发。

1888 年，德国人贝里纳推出形状类似今日唱片的“圆形平坦唱片”，所播放的音质更优美。不同于爱迪生及贝尔的机器，它的唱针是左右平行摆动而非上下起伏绕圈，使得针压能够保持稳定，降低了噪音。此外，机器所使用的录音带是扁圆形的涂蜡锌盘。当录音完成后，将酸液倒上锌盘的表面，使唱针刻过的部分腐蚀，形成凹槽。然后再电镀上一层锌膜，锌膜硬化后，又把锌膜剥下，就成为和原来

(接上页)的留声机和留声机圆筒，是目前全球历史最悠久的唱片公司。1893 年，它终止与爱迪生公司之间留声机的制造和销售。2008 年 8 月 5 日，正式更名为“索尼音乐娱乐集团”。

的刻痕相反的母带，可以不断用来复制压制其他的唱片了。当然，经过后人继续的改进以及科学家不断发现耐用的新材质，“圆形平坦唱片”就进化成20世纪中期的“黑胶唱片”，让许多人即使无法亲临歌剧院、音乐厅聆听经典歌剧或演唱会，只要有唱片播放器，在家一样可以享受。到了21世纪，高科技的光盘大量推出，更是方便，立刻变成了市场主流。

这一些进步，贝尔虽然无法参与或亲眼看到，但若不是他当年的改良，我们今日哪有便利的果实可以品尝和享受呢！

第二节　光影电话

发明不具实用价值的科学家，只能称为怪人或呆子。

——贝尔名言录

随着时代进步，商业行为日益繁忙，社会大众对电话的需求，也由早期只要能远距通话就满足的心理，改而提出希望能够更省时省力的要求。为了扩大业务量，电话公司也不得不满足客户的需求。

首先，伏特局找出铜比铁有更优质的传导功能，于是电话线里的铁线全部更换为铜线，果真大大地改善了通话质量。

接着，许多居民抱怨，乱成一团、遮蔽天空的电话线，实在有碍市容。因此，电话公司尝试把电线埋入地下，结果也令人满意。

至于增强讯号，好让更远的地方可以接收清晰的语音，则是电话公司一直努力的目标。

却说，1892 年，贝尔再一次展现远距通话的决心，从纽约打电话到芝加哥，打破 1878 年他和华生在纽约和华盛顿三百公里长距离通话的纪录。

但是贝尔仍不满意，截至目前为止，他的电话用户只限于美国东岸，该如何扩及西岸呢？

花很多钱铺设电线，贝尔并不心疼，但几千公里长的电线所传输的讯号，如果只是一阵嗡嗡声，完全无法听清楚内容，费心铺设的电话线就浪费了。

这一天，他根据一则消息，马上采取了行动。

他亲自登门拜访迈克·普宾[1]先生。

普宾先生在还算整洁的小客厅接待了贝尔。贝尔通过犀利的观察，马上就知道，普宾先生所研发的产品应该可以符合他的需要。

所以，他也不客套了，直接就问："普宾先生，我从报纸上得知，你有一个了不起的发明！"

"不敢！不敢！"普宾搓搓手，"也不算什么了不起的发明……"

贝尔敏感的耳朵立刻听出："普宾先生，你的祖籍是……"

"我的父母来自南斯拉夫。"

果然不错！普宾先生的口音说明了他的出身。根据贝尔的认知，

---

1 迈克·普宾(1858—1938)，物理学家，拥有多项发明专利。

移民家庭的第二代，因为父母的艰辛，会更加努力向上，希望能改善家庭的生活，并挣得社会地位。而他们也都是美国民族大洪炉中促使进步的重要人物。眼前的普宾先生正是活生生的例子。

“我个人对你的发明非常有兴趣！你可以多加说明吗？”

普宾受宠若惊。鼎鼎有名的贝尔先生，竟要亲自聆听他的解说。他可得把握机会。

原来，普宾发明了一种设备，用细铜丝当负载，并在每隔一段距离的电话线中，加装一个电感线圈，来连接长距离的电话线。因此，声音讯号能够放大，即使距离再长，声音的传送也不会改变质量。

这套设备正好解决贝尔公司困扰已久的问题。

1901年，贝尔买下普宾的电感线圈设备，加强讯号传送。而普宾也在电话发展史上占了一席之地。

因为这些加强，到了1907年，美国已经有超过六百万个电话用户。

1915年，纽约和旧金山间的长途电话线也开通了。长途电话不再只是科幻故事的情节，成了真实世界的产物。

长途电话的问题不必让贝尔费心了。但他曾经说过，发明就像呼吸！他怎能不呼吸？所以他整天想着发明的事情，想着如何让电话更方便、更省能源。

他当然想到阳光这个免费的能源，如果能好好地利用太阳能，不仅城镇的天空不必拉满电线，俯拾皆是的阳光还可以节省许多成本呢!

有了这个想法,贝尔立刻在札记本里写下构想:

“既然人的声音可以在空气中传送,现在又已经可以用电线传送,应该也可以用阳光来传送吧!(附注:阳光还有热能呢!)

“果真能以阳光来传送,我大概估算所需的配备有:

“一、一个发话筒(最好能兼具收集和扩大声音的效果)。

“二、一个可以转动的玻璃镜片,用以调整对准太阳,接收阳光的热能。

“三、一副耳机(长相像雪地用的耳罩)。

“四、电池。

“五、一个光感应器。”

根据贝尔的构想,通过发话筒,同时收集阳光又发送声波,然后通过远程的光线接收器,将光线转回声音。

且不管如何,在那个大家都竞相发明的年代,保障新点子的做法,就是先去登记专利。

贝尔以“光影电话”(photophone)之名取得专利。

只是,构想还停留在想象阶段,要得到实际的成品,其中有很长的试验过程。

贝尔花了许多时间和精神,努力研发,首先遇到的难题就是,遇到阴天、雨天或起雾的日子,阳光不见了,如何传送?

就算是大好的晴天,光影电话的有效距离最多两百米,也就是

说,发话和受话者彼此要在视线范围内,才能相互接收讯息。只是……这么短的距离,还需要通过器械来传话吗?只要大声喊叫不就可以了。

何况,贝尔对于不具实用性质的发明,总是嗤之以鼻。

因此,贝尔不得不在札记本里画上一个大叉叉,表示光影电话不具发明价值。但是,他在后面加了一个注记:

“实验过程中,我发现一个有趣的现象,经过光线的折射,竟然可以传送发话与受话者彼此的影像。

“嗯……如果行得通,也许我可以预先为它取名为‘贝尔影视’(Bellyvision)!

“嗯……这好像是个值得发展的想法……”

贝尔的光影电话虽然无法付诸实现,但是他在研究上确实影响了光电电池、晶体管的发展及约翰·洛吉·贝亚德[1]对电视的发明[2]。

1 约翰·洛吉·贝亚德,英国电器工程师。

1924年,贝亚德根据前人的资料,利用所收集的旧收音器材、霓虹灯管、扫描盘、电热棒、可间断发电的磁波灯和光电管等,测试传送图像。

1925年10月2日,首次传送成功。

1926年1月,正式发表,赞助商成立多家公司推广。

1928年春,贝亚德研制出彩色立体电视机,成功地把图像传送到大西洋对岸,为卫星电视拉开序幕。

2 电视的原理:1900年,巴黎世界博览会中展示了法国科学家彭凯所发明的电传影像机,称为电视(television)。

第三节 金属探测器

发明家应坚持以实用的发明为目标,才能造福人类,否则只是浪费时间!

——贝尔名言录

1881年9月19日,逐渐转黄的树叶通知人们,秋天要来了。

夜深了,凉意更重,贝尔的家人早已躲进暖暖的被窝。只有贝尔仍点着灯,捧着每天睡前必读的百科全书专心阅读,还不时在札记本上写上几个字。

突然,楼下传来令人心惊的敲门声。

贝尔点亮门灯,隔着门廊,看到门外停了一辆气派的马车,马车夫坐在高高的前座上,直挺挺地握着缰绳,目不斜视。马车上的布帘垂放着,让人看不清楚里面的乘客。

(接上页)电视所以被成功发明的三项物理原理:

1. 电波利用振荡器,产生高频率交流电,形成无线电波,经高耸天线放射,由远地的接受器截收电波,使其还原为影音。

2. 任何景物在光线照射下,会有明暗影像呈现,经电光处理、传讯、转换、映像器映像在屏幕上。

3. 影像放映时,因人类眼睛的视觉暂留现象,产生连续活动的景象。1923年,俄裔的左力金利用上述的原理发明了"光电管",才有贝亚德的成功研发,佐力金因此被尊称为"电视之父"。

“请问是哪位?”贝尔提高声音。

“贝尔先生吗?”一个黑衣打扮的侍从从暗处走出来,低声问。

“我是。这么晚了……”

另一个人影从侍从后面冒出来,打断贝尔的抱怨:“贝尔先生,我是国防部长,可以借一步说话吗?”

贝尔引他们走进温暖的厨房。玛蓓尔也下楼,穿着睡袍帮大家准备热呼呼的饮料。

国防部长双手抱着杯子,却一口也没喝。“今天下午,加菲尔德总统[1]被暗杀了!”

虽然国防部长声音很低,但是会读唇语的玛蓓尔,手上的饮料壶差点摔到地上去。

新总统上任还不到半年呢!

贝尔瞪大眼睛:“已经身亡?”

“还没……”国防部长深吸一口气,“贝尔先生,我们听说,您发明了一种机器,可以探测身体里的金属异物,例如……子弹。”

“部长,我是有这么一部机器。但是您何不把话说清楚……”

国防部长转过身来,很严肃地看着贝尔:“杀手以手枪狙击总统,目前子弹仍留在体内,造成体内大出血,但是医生们束手无策。因为

1 詹姆斯·艾伯拉姆·加菲尔德(1831—1881),南北战争期间为北军的少将,曾担任过基督会的长老,于1881年当选总统,是美国首位具有神职人员身份的总统,只是才上任半年即被暗杀,成为继林肯后第二位被暗杀的美国总统。

不知道子弹跑到了哪个部位,停在哪里。如果能借助您所发明的机器,也许总统还有获救的希望。”

贝尔立刻站起身:“部长,给我几分钟,我们即刻出发,前往医院。”

五分钟后,玛蓓尔站在窗前,看着马车离去的身影隐没于夜色之中,心中不住地祈祷,希望贝尔载去的金属探测器,能及时拯救加菲尔德总统的性命。

然而,不知是子弹的位置太过深入,以致金属探测器无法侦测到确切的位置,或因持续大量内出血,导致无法挽救的地步,没多久,所有的报纸都以哀悼的头条向美国民众宣布加菲尔德总统逝世的消息。全国下半旗致哀。

1882 年,贝尔因为此事至“先锋协会”作报告。

他沉重地表示:“我一向坚持,发明家应以实用的发明为目标,才能造福人类,否则只是浪费时间!虽然金属探测器过去有过成功的例子,但仍未臻完美,所以无法及时找出总统身上的子弹,但我并不气馁。只要假以时日,一定会有更好的改良。而且我还相信,因为我的抛砖引玉,后起之秀一定会追随我的脚步,继续研发出可以造福人类的器械[1]!”

1 1881 年,X 光尚未被应用到医学用途,所以无法用来侦测加菲尔德总统体内的子弹。其实早有多位科学家研究可以透视物体的光线,但是 X 光的正式发现,却是贝尔的这番话的确起了作用，多位科学家一生致力于这个领域的研发，其中以威廉·康拉德·伦琴[1]所发明的X光最为世人所知。

第四节　载人风筝和“银标”号

神不会眷顾只做白日梦的傻瓜，而是提供机会给有“准备”的人。

——贝尔名言录

自从1880年，贝尔用他所获得的奖金及电话公司的盈余利润成立“伏特局”，专门从事研究发展各项有利于人类的工具后，贝尔的头顶上也仿佛长了天线，随时接收最新鲜、最新奇的讯息。

1885年，他从波士顿搬到美国的首府——华盛顿特区，并成为美国公民。他之所以选择华盛顿特区，是因为这里的气候温和，四季分明。他做过调查，8月份平均气温约摄氏30度，不会太热，只是

（接上页）德国科学家伦琴于1895年12月28日所完成的阴极射线研究。他的初步实验报告了“一种新的射线”，发布在《物理医学学会》杂志上。为了说明这是一种新的射线，伦琴采用表示未知数的X来命名。很多科学家主张应命名为伦琴射线，但他本人坚决反对（虽然还是有人以此称呼）。

1 威廉·康拉德·伦琴（1845—1923），德国物理学家，曾担任德国维尔茨堡大学校长。1895年11月8日，他在进行阴极射线的实验时，注意到放在射线管附近、涂有氰亚铂酸钡的屏上发出微光，经过反复测试，他确信是一种尚未被发现的射线，取名为X光，于12月28日正式对外发表。1901年，首届诺贝尔奖成立，颁发给伦琴诺贝尔物理奖。

湿度大，会有雷雨。至于春秋两季，平均气温约摄氏20度，而且干燥，适合居住。唯一的困扰是，这里到了夏末秋初时会有飓风。

不过，这也难不倒他。因为有一年，他到加拿大的巴德克湾旅游，看到那里的气候宜人，景致优美，仿佛他的故乡爱丁堡。他立刻在那个地方设立了一个实验室，每年的夏秋两季到那里避暑，并研究他的新发明。

于是，华盛顿特区成为他接收世界各地讯息的地方，而巴德克湾的实验室则成为他研究、实验的重镇。

在那个年代，接收新讯息最快的方法莫过于阅读报纸了。

这天早上，贝尔打开报纸就看到一则振奋人心的消息：四十一岁的德国工程师卡尔·弗里德利希·奔驰[1]在曼海姆制造出一辆装有0.85马力汽油机的三轮车，他的夫人贝尔塔驾驶它，时走时停地开了一百多公里。

贝尔脑中立刻想起偶尔在街上看到的汽车，前面一个轮子，后面两个轮子，中间有一个小座位，勉强可以挤进两个人，最教人受不了的是车顶上没有棚子，开车的人得忍受风吹雨打日晒。而且在尘土飞扬的泥土地上走一段路后，个个的头上、衣服上，甚至耳朵里全是

1 卡尔·弗里德利希·奔驰（1844—1929），德国机械工程师和企业家，是奔驰汽车的创始人。1885年他设计和制造了世界上第一辆三个轮子、内燃机发动的汽车（现存于德国慕尼黑博物馆内），1893年制造出第一辆四轮汽车，1899年制造出第一辆赛车。1906年，他和两个儿子在拉登堡成立奔驰父子公司（品牌注册为“奔驰”）。于是，奔驰汽车成为世界著名品牌。1926年，奔驰公司和戴姆勒汽车公司合并。

泥土。虽然有这些缺点，但有钱人却个个趋之若鹜，认为坐上驾驶座，仿佛坐上可以睥睨行人的王位。

想到这里，他突然噗哧一声笑出来，因为他又想起早年在英国看到的可笑景象：只要汽车上路，必须派个人在前面五十米处举红旗开道，沿途大叫大嚷："让路！汽车来了！"而且当时规定，汽车在市区的时速不准超过三公里！

而现在，可不得了啦！"虽然走走停停，竟然走了一百多公里！"对于这个数字，贝尔忍不住肃然起敬。

没多久，贝尔又读到更新的讯息：另一位德国工程师戈特利布·戴姆勒[1]，制造了一辆用1.1马力汽油发动机作动力的四轮汽车。

"哦？四轮的车子？"贝尔仔细看着报纸上的照片，"看起来挺坚固的。未来应该会成为重要的大众运输工具。"

第二年的6月，奔驰先生再度发表新作品，装有一台单缸发动机的汽车正式问世。

果真，到了1894年，经过亨利·福特改良的汽车出现了。福特

---

1 戈特利布·威廉·戴姆勒（1834—1900），德国发明家、企业家，汽车发明者之一。1883年，他与好友威廉·迈巴赫合作，研制出使用汽油的发动机，并于1885年将此发动机安装于木制双轮车上，从而发明了摩托车。1886年，他又把这种发动机安装在为妻子四十三岁生日而购买的马车上，创造了第一辆戴姆勒汽车。1872年，戴姆勒设计出四冲程发动机。1926年6月29日，戴姆勒公司和奔驰公司合并，成立汽车史上举足轻重的戴姆勒—奔驰公司（Daimler-Benz），从此他们生产的所有汽车正式命名为"梅赛德斯—奔驰（Mercedes-Benz）"。

汽车除了更轻巧、便捷外，还建立了配件组合系统，即汽车出状况时，只要更换或修理该部分的零件即可，而且零件规格统一，价钱合理。于是，平民化汽车走入市场，刺激大众购买汽车的意愿。

1900 年，约翰·何兰德宣告电动潜水艇问世，科学家认为它可以运用于海洋科学的研究，而各国军方则看好于战争的运用。

这些连续的报道，让贝尔坐在实验室里，捻着胡子思考："这是一个发明的世代，我得加把劲儿才可以啊！本来我也有兴趣去研发潜水艇的，不过既然何兰德都已经做了，我就不必浪费力气了。嗯……他们发明路上走、水里航行的器械，我何不发明一个可以在天上飞的……"

于是，长达十几年的飞行器研发，成为他晚年非常重要的研究项目；蒸汽直升机、弹簧飞机和火箭都曾是他研发的项目，其中，风筝最叫他着迷。

贝尔从小就养成了大量阅读并思考的习惯，即使后来到世界各处去推广他的电话，或推动听障人士的教育，他也从未停止阅读。尤其是睡觉前阅读《大英百科全书》，更是没有一天荒废。他利用阅读百科全书，积累知识，汲取前人的经验，并收集发明的线索。

根据所阅读到的数据，他知道风筝起源于中国，而且有悠久的历史。在中国古代甚至曾经造过可以在天上飞翔三天三夜的木鸟[1]。

1 木鸟：一说为《渚宫旧事》中记载鲁班曾造过。另一说则为《韩非子·外储说》记载墨翟曾"费时三年，以木制木鸢，飞升天空"。

蔡伦发明造纸术后，纸做的风筝跟着出现，经由马可·波罗带回欧洲，西方国家这才见识到这个比空气重，却能利用风力在空中飘浮的器械，惊叹不已。

在鹅黄色的灯光下，贝尔扯着胡子，无视于睡在一旁的玛蓓尔，自言自语："风筝！这我们小时候都玩过的玩具，竟然这么有意思……嗯……值得去开发！"

他拿这件事和太太玛蓓尔商量。

玛蓓尔满脸兴奋："我也喜欢玩风筝！好啊！"

贝尔一听，两眼发亮："真的！你也喜欢。这几天，我脑子就转着这件事情，我希望能做出一只风筝，载着我们在天空飞翔呢！"

玛蓓尔高兴得满脸通红，模样就像个小女孩："艾历[1]，如果真有那么一天，我一定陪你上去，一点儿都不会害怕。只是……"

"只是什么？"

"毕竟飞行的领域，是我们陌生的。"玛蓓尔建议，"我认为，我们应该找几位有兴趣、有能力的年轻人，一起来参与。"

贝尔抓抓下巴："说的也是。光只是研读数据，知道风力、风向的原理，不一定能制造出可以在空中长期飞翔，又能载人的风筝。"

玛蓓尔走到书桌旁，开了一张支票，递到贝尔的面前："让我成为你的赞助人。我们一起研发载人风筝！"

有了玛蓓尔的支持，贝尔成立了"飞行器实验协会"，开发出利用

1 艾历：艾力克的简称，是玛蓓尔对贝尔的昵称。

马达推进的重型航空器，但实验结果并不理想。

“飞行器实验协会”成员开会检讨，认为可能是马达太重导致的结果，因此转向轻材质风筝的开发。

1898年，取名为“席格奈一号、二号和三号”的三只轻材质的厢型风筝陆续上场。但这都只是该协会私底下的研发与实验，并未对大众公开。

1907年起，“席格奈一号”公开做不载人飞翔实验，直至1912年坠地撞毁。这证明了贝尔的假设：人类可以靠着比空气重的物体，借着风力在空中飞翔。

然而，贝尔的团队太着迷于风筝了，忽略了地心引力的问题。

厢型风筝的成功经验让贝尔误以为，只要风向对，不突然用力拉扯线圈，风筝可以长时间在天空停留。以此道理推论，贝尔假设飞机只要顺着风向，应该也可以停留在空中，至于上下机的旅客，准备一架梯子就可以搞定了。

也许他的构想在未来是可行的，但以当时人类的科技发展是根本无法做到的。

贝尔的飞行发明因此遇到了瓶颈，迟迟无法突破。

但他不承认失败。他认为，失败是让他往成功方向迈进的必要过程。

他勉励新加入“飞行器实验协会”的四位新成员：“神不会眷顾只做白日梦的傻瓜，而是提供机会给有‘准备’的人。只要有‘准备’，

我们就可以走向成功之路!”

而这四位生力军,个个都大有来头。

第一位,格伦·哈蒙德·柯蒂斯[1],脚踏车与摩托车制造商,熟悉车用引擎。1903 年曾骑着自己组装的摩托车,以每小时 103 公里的速度,跑完 1.6 公里,因此被美国《科学人》杂志推选为“世界上最快的人”!

第二位,托马斯·爱德伦·赛弗瑞奇[2],美国陆军中尉,但却主张“未来的世纪是飞行的世纪”。前瞻观点让贝尔大为激赏。

第三位,费德列克·鲍德温[3],对于飞行器有浓厚的兴趣,从小就梦想成为飞行器驾驶员。他不怕吃苦、勇于冒险的精神,正是贝尔所需要的。

最后一位是正在多伦多大学电机工程系就读的麦考迪[4]。因为

---

1 格伦·哈蒙德·柯蒂斯(1878—1930),美国飞行的开路先锋,也是柯蒂斯航空公司的创建人。1903 年,组装出 103km/h 的摩托车,缔造世界摩托车速度最快的纪录。

2 托马斯·爱德伦·赛弗瑞奇(1882—1908),美国陆军中尉,航空史上死于动力飞机空难事件的第一位。参与贝尔的团队后,于 1907 年 12 月 6 日在加拿大首次搭乘载人风筝,在空中飞翔,历时 7 分钟。

3 费德列克·鲍德温(1882—1948),加拿大人,工程师,开发航空器先锋。1908 年成为加拿大首位航空器驾驶人。同年,他和贝尔的团队研发建造水上飞行器。1919 年,所建造的 HD-4 水上飞机,以时速 114 公里的速度缔造世界纪录。

4 约翰·亚历山大·道格拉斯·麦考迪(1886—1961),1907 年加入贝尔航空器研发团队,也是继鲍德温后,加拿大第二位驾驶航空器在冰原上飞行的人。后来,他在加拿大创办了第一间飞行学校。

最年轻，充满活力，加上满脑子新奇的想法，他带给团队朝气。

五人小组的脑筋、玛蓓尔的资金赞助，加上贝尔过去几年在研发风筝上的经验，他们将研发方向定位在：设计出一种重于空气，但可加挂在风筝或滑翔翼上的推进器。

他们在贝尔位于巴德克湾的实验工作室，尝试各种材质、体积的试验。

1908 年 3 月 12 日，他们利用红色丝绸和细薄、有弹性的竹片，外挂一个小型空气冷却引擎，做出一只双翼载人风筝——“红翼”，在美国纽约附近的库卡湖上空试飞。

虽然时令进入初春，但寒意仍重，结冰的库卡湖面还非常硬实，不必担心会有踩破湖面的意外，而且不时刮起的刺骨北风，让宽阔的湖面成为最适合放风筝的处所。

但为了谁可以成为乘客，大家争执了一番。

贝尔大笑着，举起双手：“我‘自告奋勇’退出，玛蓓尔认为，我做这种事‘太老了！’”

麦考迪开玩笑似的把他挤到一旁：“本来就是！这事儿轮不到你来做。”

柯蒂斯则主张：“我曾被称为‘像风一样快的人’。所以，非我莫属！”

其他人哄堂大笑，不肯同意。四个人你看我，我看你，僵持不下，都想成为乘客，期待享受御风而行的难得经验。最后是赛弗瑞奇得

到这个机会。

虽然其他人无法跟着风筝一起升空，他们可一点儿也不敢大意：仔细检查每一个零件、每一处绳结、每一个螺丝钉，绑住赛弗瑞奇的安全带……深怕一个疏忽，造成不幸。

飞行即将开始，负责监看风向的人大喊："风速、风向达到标准！可以准备起飞。"

掌控线圈的人戴着厚厚的手套，绷紧手臂。

推动风筝的跑者，在滑溜的湖面，迎着强劲又刺骨的北风，跌跌撞撞地逆风跑起来。

贝尔眯着眼，紧盯着这一切，心里祈祷：人和风筝，两个都平安。

摇摇晃晃，却缓慢地，三米……五米……风筝升空了，停在约一百米的上空，轻轻摇晃。留在地面的伙伴可以听到赛弗瑞奇兴奋的喊叫声。

成功！红翼栽下来之前，成功地载着人爬升到 92 米的高度。

但第二次，红翼就没这么好的运气了。

五天后，即 1908 年 3 月 17 日，红翼撞毁在湖面上。幸好，乘客及时跳下逃生，引擎也没摔坏。

余悸犹存的贝尔团队回到温暖的实验室开检讨会。

"太可怕了！怎么会发生这样的事情？"

"是啊！风向、风速都和 12 日那天的状况差不多啊！"

"幸好人没摔伤。"贝尔脸色凝重，"我们要记取这次教训。"

玛蓓尔也直拍胸口:“倒栽葱的那一刹那,真是把我吓坏了!可能的原因会是出在哪里?”

经过细密的检讨,找出可能的原因后,他们重新制造了另外两只风筝——白翼和六月甲虫,增加副翼[1]、封闭型的座舱和尾舵。

副翼的功能在辅助主翼的升降。封闭型的座舱用以保护被载者,亦可保温;因为即使只升高一百米,风速、气温和地面都不相同。至于尾舵则可用来控制方向。

白翼和六月甲虫很快就进入测试阶段,直到1908年底前,他们总共完成150次的安全飞翔记录。这些测试大大振奋了贝尔团队的精神。

他们这么努力想证明飞行器的可行性,当然跟莱特兄弟[2]很有

1 副翼:通常,成对的副翼配置于主翼两端后面,有助于主翼的上升或下降。在大型机上,副翼可由六片扰流板替代,作为航空器于落地时的空气煞车板,或在巡航速度飞行时兼作副翼来做滚转之用。

2 莱特兄弟:哥哥维尔伯·莱特(1867—1912),弟弟奥维尔·莱特(1871—1948)。被世人公认为飞机制造的先驱,也是最先真正驾驶重于空气的机器,以它本身的动力升空,在天上飞行的人。

1903年12月14日至17日,“飞行者一号”进行第四次试飞,地点在美国北卡罗莱纳州吉迪赫克海边的一处沙丘上。第一次试飞由奥维尔驾驶,共飞行了36米,在空中停留12秒。第四次由维尔伯驾驶,共飞行了260米,停留空中59秒。他们首航的航程虽短,但已是人类动力飞行历史上的第一次突破,自此改写全世界的生活方式。1906年,“飞行者一号”在美国获得专利发明权,该机目前仍在华盛顿航天博物馆内展出。莱特兄弟在1909年获得美国国会荣誉奖,同年创办了“莱特(接上页)飞机公司”。

关系。

1908 年 9 月 11 日早上，一如往常，总是一早就起床阅读报纸的贝尔，读到一则令世人振奋，但对他的实验却是个打击的消息。贝尔不发一语地吃完早餐，将报纸夹在胳臂下，沉重地走进实验室。

其他四个人看到他凝重的脸色，全都停下手边的工作。

军人出身的赛弗瑞奇肚子里藏不住话，按捺不住先开口：“贝尔先生，发生了什么事？”

贝尔把报纸丢上工作台：“莱特兄弟抢先我们一步了！”

四个人围拢过来，看到报纸头条，斗大的标题：“人类飞翔不是梦！”

新闻内容详述，在北卡罗莱纳州吉迪赫克小渔村试验滑翔机飞行的莱特兄弟，在昨天（10 日）上午 10 点左右，由弟弟奥维尔驾驶取名为“飞行者一号”的滑翔机，在 76 米的高度，持续飞行了 1 小时又 14 分钟，并且运载了一名勇敢的乘客。

另一版则简单介绍，使用内燃机[1]为推进器的“飞行者一号”，有过多少次成功的飞翔记录。

柯蒂斯吹了一声口哨：“哇哈！他们可抓住全世界的眼光啦！”

1 内燃机：是将液体或气体燃料与空气混合后，直接输入机器内部燃烧，产生热能后再转化为机械能的机械装置。内燃机具有体积小、质量小、方便移动、热效率高、起动性能好的几个特点。但内燃机一般使用石油燃料，且会排出较多的有害废气。

年纪最小的麦考迪有些不服气:“如果我们也找记者来,就换我们上头版啦!”

鲍德温眼睛一直没离开报纸:“根据这篇报道,他们使用内燃机为推进器,我们可以多了解一下!”

赛弗瑞奇指着报纸的某个角落:“看到没?他们在1906年已经取得专利发明权了。”

麦考迪转头看看大家:“呃……如果这样……我们还要……”

“还要不要继续实验,是不是?”柯蒂斯生气得瞪大眼睛,“当然要继续!我可不想因此认输。”

赛弗瑞奇揉揉鼻头:“我认为我们的发明和他们的不一样。不必担心。”

鲍德温点头同意:“没错!我也认为这两者有很大的差异。何况我们已经有150次的安全飞翔记录。这是难得的经验,不可轻言放弃。”

这时,大家一起转头看向不发一语的贝尔,异口同声:“贝尔先生,你认为呢?”

贝尔还紧皱着眉头:“他们的滑翔机有许多我们没有的优点,但我也注意到,‘飞行者一号’并没有装配副翼,这是我们所拥有的优势。所以,我认为应该朝这个方向继续前进,不必受他们影响。”

就这样,他们把莱特兄弟带来的阴霾抛开,仍然决定朝风筝和滑翔翼的动力引擎研发。

1909 年 2 月 23 日，麦考迪驾驶新开发的“银标”号，在加拿大的冰原试飞。当天，除了贝尔团队的所有成员外，还邀请医护人员在场，以防意外发生时可以在第一时间抢救。

因为，他们的努力与坚持，“飞行器实验协会”虽没有在航空业闯出一片天空，但他们所研发的副翼，却成为现代飞机重要的配备。

后来，贝尔年岁增加，并罹患糖尿病，无法再领导团队。“飞行器实验协会”不得不解散。团队中的鲍德温和麦考迪回到加拿大，成立“飞机场”航空器公司，还曾向加拿大空军总部介绍过他们用心研发的飞行器呢！

第五节　水翼船

发明家尊敬上苍，但不满意生活中许多不便，所以努力将梦想实现，以便嘉惠世人。

——贝尔名言录

虽然飞行器的研发让贝尔及他的团队忙得昏头转向，但贝尔仍努力挪出时间，在水上航行器械上下功夫。

莱特兄弟的滑翔机实现了人类飞翔的梦想，轰动全世界，当然也带动了许多发明的方向。

1906 年 3 月，贝尔在美国《科学人》杂志上看到一篇专论，威廉·麦坎在文中详述他所制造的可以在水面滑行、停泊的飞机。

贝尔仔细地阅读过几遍后，自言自语地在他的札记上又写又画、涂涂改改。这天早上，贝尔腋下夹着札记本，走进餐厅，摊在餐桌上，拿起笔又开始嘟嘟囔囔地画来画去，不时机械式地嚼几口玛蓓尔准备的早餐。

结婚之初，玛蓓尔每次看到贝尔胡乱吞下她费心准备的餐点，忍不住就会发火："难道你不能暂时搁下工作吗？好好品尝食物的味道吧！"

一开始，贝尔对于玛蓓尔为什么突然生气无法理解，张着茫然失措的眼睛，望着她。后来，总算搞清楚了，也能理解玛蓓尔以食物展现爱意的行为。他学着用餐时放下事情，利用几分钟，好好地把饭吃完，让玛蓓尔不再生气。但他也会寻找恰当的时间，告诉玛蓓尔："发明对我来说，就像呼吸一样，一刻也不能离开。发明家尊敬上苍，但不满意生活中许多不便，所以努力将梦想实现，以便嘉惠世人。只是生命非常短暂，时时刻刻都得把握。"

结婚多年，玛蓓尔早就学会忍下怒气，默默地为贝尔打理家里的一切。

也许是春天到来，也许是久违的阳光，贝尔突然在明亮的餐厅大叫大嚷起来："啊哈！我想通了！这个主意一定可行！玛蓓尔，快来，来看看我的新构想！"

玛蓓尔一边擦手，一边凑过身子。

“我的新构想是，在汽船的底部装上像翅膀的支架，当汽船在水面高速行驶时，会将船抬离水面，那样子仿佛船身在水面飞行一样。”贝尔连说带比，口沫横飞。

玛蓓尔看看札记上的草图：“看起来有点儿像……像长翅膀的船。呃……叫飞船是吗？”

“不不不！”贝尔抓抓满是胡茬的下巴，“名字还没取，也许你取的名字可行。但你知道的，现在还只是个构想。”

玛蓓尔索性坐下来：“这和麦坎专论中所提的器械有何不同？”

贝尔咧开大嘴：“喔呵，你也看到那篇专论了！不同的是，麦坎研发的是可以停泊、滑行在水上的滑翔机。”他手上的铅笔用力在草图上画个大圈，“看清楚了吗？我的机械主体是汽船！我想为它取名为‘水翼船’。”

贝尔说做就做。

“飞行器实验室”成员中的鲍德温将雷诺引擎加以改良，让小型汽船可以在水面高速航行，并在汽船两侧加装支架，可以滑行又能保持平衡。

1908 年夏天，第一代 HD-4 水翼船在法国麦加勒湖首次试航，就由鲍德温驾驶。

湖水潋滟，倒映着亮蓝的天空，带着暖意的微风轻轻扬起大家的衣角。但是贝尔浑然不觉，他的眼睛紧盯着在湖心高速航行的第一代 HD-4 水翼船。

引擎声隆隆，船头划破水面，溅起一人高的水花。HD-4有如一只轻盈的水鸟，贴着水面，瞬间从这一头飞到另一头。大家的眼睛都快跟不上它的速度了。

监看速度的工作人员大声读出："时速87公里！"

"成功了！"贝尔转身抱住玛蓓尔，高兴得大喊大叫。马上又放开她，踢着脚、绕圈，独自跳起苏格兰舞。

玛蓓尔看到贝尔那股高兴的劲儿，笑得流出眼泪。

虽然首航成功，但是因为莱特兄弟滑翔机的消息不断地出现在报纸上，"飞行器实验室"的伙伴觉得很不是滋味。实在分身乏术的鲍德温不得不和贝尔讨论，希望专心投入载人风筝的研发。于是，贝尔转而寻找其他的人才。

1913年，汽船设计建造师华特·皮奥加入HD-4的改良工作，功能和速度果真明显提高。

贝尔眼见HD-4的研发逐渐有结果，正考虑商业开发时，1914年7月却爆发了第一次世界大战[1]。战火首先在欧洲大陆蔓延，法国、德

1 第一次世界大战：战争期间为1914年7月28日至1918年11月11日。主要战场在欧洲，故又称为"欧战"，但其实波及全世界。由德国、奥匈、土耳其、保加利亚组成的同盟国阵营，与英国、法国、俄国和意大利的协约国阵营，在欧陆开打。美国加入了协约国，于1917年4月6日对同盟国宣战。中国则于1917年8月14日对德、奥宣战。根据历史学家观察，此次战争是欧洲历史上破坏性最强的战争之一；约有6500万人参战，1000万人丧生，2000万人受伤。战争也造成了约

国、俄国、英国等大国陆续沦为战区。美国虽在大西洋的另一端，也在 1917 年的 4 月 6 日宣布参战，大批的年轻人和物资被送往欧洲战场，每个家庭最关注的就是战争的消息。

贝尔不得不中断水翼船的开发。直到 1918 年 11 月 11 日大战结束，各国陆续复原，贝尔才重新投入水翼船的改良，终于，让全世界刮目相看的日子来临了。

1919 年，贝尔带玛蓓尔在巴德克湾看试航。加装两台 350 匹马力引擎的汽船，因为支架减少水的阻力，引擎马力足够，比以前的汽船行使的速度快多了。

站在码头上的玛蓓尔被飞溅的水花洒得一头一脸，惊讶得说不出话来。贝尔则得意地欢呼起来："这就是'水翼船'！我相信，未来它一定可以缔造世界纪录！"

果真，1919 年 9 月，HD-4 型水翼船以每小时高达 114 公里的速度，打破了世界纪录，直到 1963 年才被刷新。

贝尔对改良水翼船的坚持，也引起后人对水上飞机的注意[1]。所

（接上页）1700 亿美元（当时币值）的经济损失。

1 水上飞机：水上飞机的正式名称，是英国首相丘吉尔于 1913 年提出的。早期研发水上飞机的思考：1. 地球上有超过 70% 的面积被水覆盖，包括海洋、湖泊与河川，都可以是水上飞机升降的区域。2. 航空器发明之初，陆上机场数量不多，许多机场的跑道也未臻理想，常造成起落架的意外。即使有跑道的机场，也常因风向的原因影响飞机起降。而水上飞机所受的限制较小。3. 对于陆地面积较小但是被水环绕的地区，或远距离航线上无可使用的机场时，水上飞机可弥补这些缺点。

以,虽然水翼船未能风行,但在开启观念的部分,贝尔还是功不可没。

(接上页)4. 大型客机或竞速机临时发生故障,航线上又无长跑道可提供时,水面则成了最好的升降场所。

第五章 永远的荣耀

一个喜爱观察并穷究事理的人，精神永远长存！

——贝尔死前对后人的训勉

1922年8月下旬，小山顶上，一处林木葱郁的墓园，贝尔的太太玛蓓尔一袭黑衫，由子女搀扶着，参加贝尔先生的葬礼。

放眼望去，除了亲戚朋友，还有许多不认识却敬佩贝尔先生的人也一同来到墓园。他们以肃穆的神情，追悼这位伟大的发明家。

与此同时，美国和加拿大的所有电话系统暂停运作一分钟，大家都不再拨出或接听电话，以静默向贝尔先生道别。

沉默被牧师严肃的致词打断："我们敬爱的天父啊！蒙您的恩典，在8月2日将亚历山大·格雷汉姆·贝尔从糖尿病的病体中救赎，您借由他的身体，体现对听障人士的关怀，积极为他们争取福利，并将电话、水翼船、载人风筝、子弹探测器等伟大的发明展现在世人的

面前。他一生取得三十多项专利，担任美国地理学会主席，被选为美国科学院成员，这些荣耀都将归于您……”

随着牧师的祝祷词，棺木一寸一寸地降下墓坑，一铲一铲的尘土伴随着追悼者的鲜花掩盖了棺木，啜泣声汇成一股洪流，连男士都忍不住掏出手帕。

葬礼仪式结束后，玛蓓尔回到安静的家中，陆续收到相关的团体或国家争相颁发的奖章或荣誉，以纪念这位伟大的发明家；爱丁堡选他为荣誉市民及公会会员；伦敦艺术协会、费城富兰克林协会、皇家康瓦尔工业协会、美国电机工程师学会等都颁发最高荣誉奖牌。

贝尔的两个女儿在整理父亲的遗物时，分门别类地整理了他大量的手稿，其中一部分存放于美国国会图书馆，一部分展示于巴德克大学的“贝尔学院”（目前已可用在线查询）。

此外，加拿大的布兰特福德除了赞扬他的发明成就，更肯定他在听障教育、语音学上的贡献，曾在 1917 年建立一座巨型花岗岩及青铜纪念碑。

到了 1956 年 8 月 18 日，“贝尔博物馆”又在他生前最喜欢的巴德克湾对外开放。加拿大政府将他的手札、设计模型、实验照片等，公开展览，供世界大众缅怀、纪念、学习。

而电话推广之初，曾对贝尔严厉批评的《每日电讯报》评论，早已改口，现在更是极力推崇贝尔先生。他们公开发表一则声明：

“感谢您，贝尔先生！

“电话！多么伟大的发明呀！

“它是理想且实用的礼物，是人们相互通话的欢乐来源！

“甚至是省钱的妙招！

“至于它的神奇，大家早已体会。

“因为它，我们不必离开办公室，就能处理事情。

“因为它，我们不必长途奔波就能联系亲朋好友。

“因为它，我们的工作变得有效率。

“所以，贝尔先生您的电话发明，真是太好了！”

这一则公开声明，正足以表达世界大众对贝尔先生的尊崇。

贝尔重要记事

年份	年龄	事件
1847年		3月3日，出生于苏格兰的爱丁堡。
1858年	十一岁	到伦敦和爷爷住了一年。回爱丁堡之前，和爸爸拜访科学家惠斯通先生，启发了对发明的兴趣。
1863年	十五岁	发明去麦壳机。 与哥哥和弟弟制作“说话头骨”。 到苏格兰南部担任老师。
1864年	十七岁	至爱丁堡大学学习一年。
1867年	十八岁	搬到伦敦，成为父亲教授语音学的助手。 进入伦敦大学进修声音生理学和解剖学。
1870年	二十三岁	哥哥和弟弟因为肺结核去世。 8月，举家迁居加拿大安大略省的布兰特福德。
1871年	二十四岁	4月，迁往美国。 和父亲在波士顿开办培训聋人教师的学校。 编著《可见式语音导论》一书。
1873年	二十六岁	担任波士顿大学语音学教授。
1875年	二十八岁	研发多路电报获得专利。 3月，拜访电学权威约瑟夫·亨利博士，得到鼓励。 6月2日，确定发明电话是可行的。

1876 年	二十九岁	2 月 14 日，向华盛顿专利局申请了电话发明的专利。 3 月 10 日，最初电话诞生日。 3 月 17 日，专利被核准。 6 月，参加在费城举办的“美国独立一百周年”博览会，展示所发明的电话，得到巴西国王的肯定，且得到金牌奖。
1877 年	三十岁	7 月 11 日，与十九岁的玛蓓尔结婚。 8 月，第一个长距离的声音讯息经由电报线从法国巴黎传到加拿大安大略的布兰特福德。 第一份用电话发出的新闻电讯稿被发送到《波士顿世界报》，标志着电话为公众所采用。 创建贝尔电话公司。
1878 年	三十一岁	波士顿与纽约之间长达三百多公里的长途电话实验成功。
1879 年	三十二岁	取得光影电话的专利。
1880 年	三十三岁	获法国颁伏特奖，并被聘为法国荣誉军官。 利用伏特奖之奖金成立伏特实验室：发展出“图话”与“记录蜡筒”，并获得专利，成功地改进爱迪生的留声机及锡箔滚筒。 进而成立伏特局。
1881 年	三十四岁	发明体内金属探测器。
1882 年	三十五岁	成为美国公民，居住在华盛顿特区。
1883 年	三十六岁	被推荐为美国科学院成员。
1885 年	三十八岁	在加拿大巴德克湾设立实验室：陆续研究出水翼船、海水转换器、复杂的电气设备、载人风筝、三叶式螺旋桨等影响现代科技的发明。

1888 年	四十一岁	与多位科学家共同发起，成立美国国家地理学会。
1898 年	五十一岁	担任美国国家地理学会主席，为期六年。 研发轻材质的“席格奈一、二、三号”载人风筝。
1903 年	五十六岁	成立“飞行器实验室”。
1908 年	六十一岁	第一代 HD-4 水翼船在法国试航成功。
1909 年	六十二岁	2 月 23 日，“银标”号飞行器在加拿大冰原试飞成功。
1915 年	六十七岁	1 月 25 日，完成连接纽约和旧金山的大陆横贯电话线。
1917 年	七十岁	加拿大政府在布兰特福德为他竖立巨型纪念碑。
1919 年	七十二岁	经过改良的 HD-4 水翼船以 114km/h 的速度，缔造世界纪录。
1922 年	七十五岁	8 月 2 日逝世。

近代世界重大发明与发现

年份	发明家	重要发明与发现
1452—1519 年	达·芬奇	设计各种飞行器。 绘制人体图。
1712 年	托马斯·纽克曼	发明蒸汽机，揭开工业革命的序幕。
1736—1819 年	詹姆斯·瓦特	发明凝结蒸汽机，成为大型机械的动力，被誉为发明机械动力的先驱。
1769 年	库格纳特	为农业机械发明了蒸汽驱动牵引机。
1706—1790 年	富兰克林	发明避雷针。 主张电可分为正、负两种的“一流体”说。
1776 年	布什内尔	研发出潜水艇的雏形。
1790 年	约翰·费奇	发明首艘汽船。
1799 年	默多克	利用煤气灯照明。
1800 年	伏特	利用化学能转为电能，发明电池。
1803 年	里特尔	改良电池，成为铅蓄电池。
1804 年	德里维斯	改进高压引擎建造蒸汽火车头。
1807 年	罗伯特·富尔顿	改良蒸汽引擎，所设计的第一艘汽船“克莱蒙特”号试航成功。 试制“鹦鹉螺”号潜水艇。
1822 年	迈克尔·法拉第	发明电动马达成为动力世界的基础。 架设最早轨道。

1829 年	约瑟夫·亨利	发明电磁铁,发挥电磁效应。
1844 年	摩尔斯	电报开通,成为重要的通讯工具。
1846 年	韦伯	设计电流计与电力计。
1857 年	以利沙·奥迪斯	设计客用升降机(电梯)。
1860 年	艾蒂姿·勒努瓦	发明内燃机,改变交通运输业。
1833—1896 年	诺贝尔	发明强力、安全炸药。
1868 年	鲁克朗歇	发明干电池。
1859 年	乔治·威斯汀蒙斯	改良铁路空气煞车系统,奠定铁路安全体系。
1865 年	拉乐蒙	“脚踏车”正式定名。
1870 年	密勒	发明音波显示器。
1870—1931 年	爱迪生	陆续完成留声机、电灯、电影放映机等两千多种发明。
1881 年	西门子	电车成为都市重要交通工具。
1884 年	查尔斯·巴森斯爵士	发明蒸汽涡轮机,被航业界采用。
1885 年	卡尔·弗里德利希·奔驰 戈特利布·威廉·戴姆勒	设计汽车,改变现代人的生活方式。
1887 年	亨利希·赫兹	发现电磁波,开拓光电工业。

1894 年	亨利·福特	改良汽车，建立配件组合系统。
1894 年	伽利尔摩·马可尼	距离 17 公里的无线电发送成功，促成越洋通讯。
1894 年	威廉·康拉德·伦琴	发现 X 光。
1898 年	居里夫妇	确定发现“镭”射线。
1900 年	约翰·何兰德	发明电动潜水艇，应用于海洋研究与战争。
1901 年	瑞金纳德·费森顿	发展无线电话，扩大电话的机能。
1906 年	维尔伯·莱特 奥维尔·莱特 威廉·麦坎	取得美国滑翔机专利权。 在美国《科学人》杂志发表水上飞机的专论。
1908 年	柯立芝	改良电灯泡，制造韧性钨丝使灯泡使用时间加长。
1910 年	亨利·伐伯历	展示第一架水上飞机。
1911 年	凯特英	发明汽车启动马达，促成汽车普及化。
1911 年	卡里尔	发明空调，改善工作环境。
1917 年	本多光太郎	发明永久性磁铁。
1917—1919 年	拉瑟福德	成功证明原子核会因为撞击、分裂而改变，被誉为“改变元素的人”。
1922 年	爱因斯坦	因为相对论，获颁诺贝尔物理奖。

后记

2009年，加拿大政府为了纪念亚历山大·格雷汉姆·贝尔在电话与航空上的贡献，于首都航空博物馆举办"银标"号百年飞行展。

当年的加拿大总督米歇尔·琼在致开幕词时，以诚恳的口吻，不断赞美：

"贝尔，以实际的行动，为人类的梦想装上翅膀！"

"贝尔当年的成功，为今天的航空科学奠定了良好的基础！"

馆方工作人员表示，此次展览筹备期长达两年，耗资50万加币，预定展出10年。展场中除了陈列当年贝尔团队研发的"银标"号复制品外，还有现代的F-16战隼战机和水獭型救援机等60架各式飞机，展现人类百年来实现飞翔梦想的艰辛历程。

以现今的眼光来看"银标号"，可能不认为它有什么特殊之处。但在1909年，木头制作的螺旋桨，以钢管、红木、竹片做成的机身，加

挂八缸50马力的双翼飞机，在结冰的湖面上蹦跳几下后，开始爬升，总共在空中停留48秒，飞行距离800米，飞行高度9米。这在当时，是缔造历史的纪录，也开拓了许多科学家和发明家的视野，才有今日喷气式飞机、火箭等更先进的航空器出现。

虽然，2002年美国国会取消贝尔的电话发明权，改判给梅乌奇，但贝尔秉持发明家的精神所做的贡献，早已超越“现代通讯之父”的桂冠，不仅影响现代的我们，也将永远成为后人学习的典范。